LES

JEUNES VOYAGEURS

DANS PARIS.

MEAUX, IMPRIMERIE DE DUBOIS-BERTHAULT.

Pauquet del. et sculp.

« Nos voyageurs arrivant visitent la pompe à feu de Chaillot. »

LES JEUNES VOYAGEURS dans Paris,

OU LES

TABLETTES DE JULES.

Ouvrage dédié

à la Jeunesse des deux Sexes.

Par Mme de F***

Revu et corrigé par Mme de L'Esperat.

Orné de dix Jolies Gravures

représentant les principaux Édifices de Paris.

Pauquet del et sculp

La Grille du Palais.

PARIS.

Chez Locard & Davi, Libraires,

Quai des Augustins, N° 3.

Au 1er Pont, même Quai, N° 21.

1829.

LES

JEUNES VOYAGEURS DANS PARIS,

OU

LES TABLETTES DE JULES;

Revue pittoresque de la Capitale, contenant une description exacte et rapide de ses Monumens, Curiosités, Embellissemens futurs, etc. : ornée de dix gravures représentant les principaux Édifices de Paris;

OUVRAGE POSTHUME ET INÉDIT DE M.me DE F........,

REVU, CORRIGÉ ET AUGMENTÉ PAR M.me DE SAINT-SPÉRAT,

Auteur de BONNE-AMIE, du JEUNE MAITRE D'ÉTUDES, etc., etc.

PARIS,

LOCARD ET DAVI, LIBRAIRES,

QUAI DES AUGUSTINS, N.o 5.

1829.

AVIS DE L'ÉDITEUR.

La Géographie est une partie essentielle de nos études ; mais on l'enseigne d'une manière trop générale, et l'on néglige la Topographie qui offre, surtout aux nationaux, un si vif intérêt. Beaucoup de jeunes gens de l'un et de l'autre sexes sauront indiquer la situation de telle ou telle ville, de tel ou tel fleuve, même étrangers, et n'auront point de réponse à la question la plus simple sur les monumens les plus remarquables qui ornent leur pays. Paris, capitale d'un vaste empire, est peu connu de la plupart de ses jeunes habitans, et ne l'est guère que de nom par les élèves de la province. C'est pour remédier à cette ignorance impardonnable, qu'une dame de beaucoup d'esprit a imaginé de donner sous le titre des *Jeunes Voyageurs dans Paris*, une description rapide de cette ville si belle, si animée, qui, par la multitude de chefs-d'œuvre qu'elle renferme, attire dans son enceinte une foule d'étrangers, plus disposés que nous-mêmes à apporter un juste tribut d'admiration aux arts, à l'industrie, à l'urbanité, qui en font la reine de l'univers.

Malheureusement la mort est venue frapper l'auteur avant qu'elle eût donné le dernier poli à son ouvrage; c'est ainsi que M.me DE SAINT-SPÉRAT, premier instituteur de sa famille, comme M.me DE F....... l'était de la sienne, et, comme elle, auteur de plusieurs ouvrages d'éducation, accueillis par le public avec une bienveillante indulgence, s'est vue appelée par l'Éditeur à mettre la dernière main à cette utile publication. Sa part dans ce travail se réduit à peu de chose : le plan, la marche de l'ouvrage, les personnages qui l'animent, appartiennent, à quelques nuances près, au premier auteur. M.me DE SAINT-SPÉRAT n'est dans ce tableau que pour quelques *raccords;* la réparation de plusieurs omissions qu'une lecture attentive eût facilement comblées, si l'auteur primitif eût pu revoir son travail; enfin un dénouement naturel et dégagé de toute complication romanesque, comme doit l'être un livre à l'usage de la jeunesse.

L'utilité de nos *Jeunes Voyageurs dans Paris* est une chose incontestable ; il ne s'agit plus que de savoir si *l'agrément* y répondra ; c'est ce que nous osons espérer, non sans quelque fondement peut-être, si nous en jugeons par l'intérêt qu'il offre à chaque page, et par la variété qui résulte de la grande quantité d'anecdotes peu connues dont il est parsemé.

LES

JEUNES VOYAGEURS

DANS PARIS.

CHAPITRE PREMIER.

Introduction. — Motifs du voyage. — Départ. — Paris n'est pas loin.

M. de Mériadec habitait la Bretagne avec sa femme, un fils de quatorze ans, nommé *Jules*, et une fille de douze ans, la douce *Caroline*. Cette famille bien unie avait jusqu'à ce moment joui d'un bonheur sans nuage, quand la santé de M.me de Mériadec donna des inquiétudes sérieuses à son époux. Il se hâta de consulter les plus habiles médecins de la province ; mais la divergence de leurs opinions ayant accru ses alarmes, sa tendresse lui suggéra l'idée d'aller à Paris, où, sans doute, il trouverait toutes les lumières et les ressources de l'art de guérir. La malade voulut d'abord s'opposer à ce projet. Les dépenses du voyage étaient son principal motif; car, ne pouvant se résoudre à quitter ses enfans, elle sentait combien le déplacement de quatre personnes devait être coûteux. Son mari sut vaincre ses scrupules à cet égard, en lui montrant une assez forte somme, fruit de ses économies, qu'il avait mise en réserve sans lui en parler ; ajoutant, avec une touchante affection, que cet argent, destiné à faire face à quelque dépense imprévue, ne pouvait être employé dans une occasion plus importante que le rétablissement d'une santé aussi précieuse.

Un regard, où se peignaient la tendresse et la reconnaissance, fut la seule réponse de M.me de Mériadec, et le départ fut fixé à huit jours. C'était, pour deux enfans qui n'avaient point encore quitté leur ville natale, une bonne fortune qu'un pareil déplacement. Aussi, pendant les huit jours qui précédèrent celui du départ, répétaient-ils à tous leurs amis, à toutes leurs connaissances : « Nous allons à Paris ; oh ! que nous sommes heureux d'aller à Paris!!! »

Cette idée absorbait tellement leur imagination, que leurs études s'en ressentirent beaucoup ; car le mot *Paris* se trouvait sans cesse ou dans leur bouche ou au bout de leur plume, qu'il y fut bien ou mal placé ; c'était un vrai délire. Enfin, la dernière nuit, ils ne dormirent ni l'un ni l'autre, tant ils craignaient de n'être pas prêts pour monter en voiture le lendemain à sept heures du matin.

« Mais, Caroline, disait M.me de Mériadec à sa fille, qu'a donc de si charmant ce voyage, pour exciter en toi ces transports, cette exaltation? — D'abord, chère maman, j'espère bien que vous lui devrez votre guérison. — Je t'en remercie; mais cet espoir, si flatteur qu'il te semble, ne suffirait pas pour te rendre comme une folle. — Oh! ciel, maman! vous ne croyez donc plus à la tendresse de votre Caroline? Peut-il y avoir pour elle au monde rien de plus important que l'espoir de voir enfin vos longues souffrances céder à l'expérience des docteurs parisiens que l'on dit si savans! — Bonne petite, voilà pour ton cœur; mais, dans le fait, là-bas, quels seront tes plaisirs? Ma situation ne me permettra pas de t'en faire goûter autant que je le voudrais, et je crains bien que le résultat de ce voyage dont tu te fais une si grande fête, ne soit de t'imposer le triste rôle de garde-malade. — Ne sera-ce donc rien, ma chère maman, que de vous consacrer tous mes soins, de remplir bien strictement tous les ordres de vos médecins?

Très-certainement je ne vous quitterai pas d'une minute ! Mais nous avons fait, mon frère et moi, une petite convention. — Laquelle, mon enfant ? — Quoique Jules vous chérisse bien aussi tendrement que moi, il ne saurait garder constamment la chambre comme une jeune fille. Papa le mènera sans doute courir la ville, en voir les beautés. Eh bien ! il m'a promis de me rendre compte tous les soirs, bien en détail, des choses intéressantes qu'il aura vues pendant la journée. — Tu consens donc, ma bonne Caroline, à voir Paris par les yeux de ton frère ? — Oui, maman. D'ailleurs, quand vous serez guérie, nous la *reverrons* tous ensemble, cette belle ville ; n'est-ce pas, maman ? »

M.me de Mériadec secoua tristement la tête. Le caractère principal de sa maladie était une grande mélancolie qui semblait tendre à la consomption, état funeste dont rarement on guérit ; et, dans ses fâcheux pressentimens, la bonne mère de famille regardait comme très-prochaine sa séparation d'avec les êtres qu'elle chérissait. Rarement cette idée se présentait à son esprit sans le livrer aux plus sombres rêveries ; aussi, trouvant un prétexte pour éloigner sa fille, elle s'enfonça sans contrainte dans un labyrinthe de projets pour l'avenir, tous relatifs à ce qui pourrait rendre sa mort moins pénible à sa famille, et placer ses enfans dans la position la moins désavantageuse possible ; tant elle était loin de partager les espérances de son mari relativement au succès de son voyage.

Après avoir fait à ses voisins des adieux (qu'elle croyait éternels), M.me de Mériadec, son époux, Jules et Caroline, montèrent, par un temps superbe et qui paraissait du plus favorable augure, dans une berline que le mari prévoyant avait retenue pour eux seuls. Sa tendre sollicitude n'avait négligé aucun des soins, aucune des précautions minutieuses qui devaient concourir à diminuer la fatigue, à éloigner les privations. La voiture, douce et commode, avait été garnie de toutes les provisions qui pouvaient être utiles, ou seulement agréables à l'intéressante malade. On irait vite ou doucement selon que son état semblerait l'exiger; on s'arrêterait quand on le jugerait convenable; on séjournerait même, en cas de besoin : ce qui ne se peut faire dans les diligences publiques, où les voyageurs, non-seulement voient enchaînées leurs moindres volontés, mais encore sont réduits à éprouver l'ennui d'une société, qui, n'étant analogue en rien à leurs goûts, à leur éducation, détruit, dès les premiers instans, tout le charme du voyage.

Dès le premier jour, le mouvement de la voiture, le changement d'air, la variété des objets, parurent opérer un mieux sensible dans la situation de la malade, et surtout lui procurer des distractions qui rappelaient la gaîté de sa jeunesse. M. de Mériadec et ses enfans en conçurent les plus flatteuses espérances. Ceux-ci admiraient tout ce qui s'offrait à leurs regards ; car, pour le premier âge, tout s'embellit par l'attrait de la nouveauté. Le moindre hameau que l'on parcourt pour la première fois, présente un aspect plus agréable que la ville que l'on habite, et dans laquelle on a toujours les mêmes objets sous les yeux.

Le jour que M. de Mériadec avait annoncé comme le dernier du voyage, un superbe château, une masse énorme de maisons s'offrit de loin aux regards de nos voyageurs. « Voilà Paris, ma sœur, s'écria Jules enthousiasmé ! — Non, mon fils, répondit M. de Mériadec ; c'est une ville royale, qui fut long-temps le séjour du Souverain ; mais ce n'est pas encore la capitale. Ce lieu se nomme Versailles ; il est recommandable par la magnificence de son parc, dont voici les murs. Lorsque votre maman sera tout-à-fait rétablie, nous viendrons en visiter l'enceinte, y voir jouer les eaux qui en font un séjour enchanteur. — Ah mon Dieu! papa, que ce Paris est loin! Nous n'y arriverons donc jamais? — Dans deux heures au plus, nous serons à ses portes. — C'est fort heureux! il en faut convenir. — Mon fils, il faut savoir, avant tout, réprimer son impatience. Dans notre organisation imparfaite, une jouissance n'a souvent de prix pour nous qu'en raison des difficultés que nous éprouvons pour l'obtenir. »

Il n'y avait que de la bienveillance dans cette admonestation toute paternelle. Jules l'écouta de l'air le plus respectueux, et promit de s'en faire désormais, en pareille occasion, une règle invariable de conduite. La conversation roula ensuite sur la beauté ou l'étendue des sites qui s'offraient aux yeux des voyageurs. C'est ainsi qu'ils traversèrent les rues peu fréquentées de Versailles, la belle avenue semée de deux ou trois petits villages qui sépare cette ville de Sèvres, ce village lui-même, son pont nouvellement bâti, et l'allée d'arbres, qui, de ce pont, conduit au quai de Passy par une pente douce. Près de trois heures s'étaient écoulées dans ce trajet, qui, comme tout le reste du voyage, ne se faisait qu'à petites journées, afin de ménager les forces de la malade. « Papa ! papa ! s'écria tout-à-coup Caroline, nous venons de passer un groupe assez considérable de maisons ; en voilà sur la gauche une plus grande quantité que je distingue à travers les arbres sur cette colline bordée de jolis jardins ; à droite, je vois la rivière, et dessus, un pont nouvellement construit : réjouis-toi, mon frère ! pour le coup voilà Paris, et le Pont-Neuf dont on nous parlait tant à Rennes. — Oui, le Pont-Neuf, répliqua Jules ! Pour Paris, je ne dis pas ; mais il y a plus d'un pont dans cette ville, et tu ne devrais point avoir oublié que celui dont tu parles est décoré de la statue du bon Henri, que l'on y a rétablie depuis le retour de nos Rois. — Ta réflexion est juste, mon ami, reprit M. de Mériadec; mais ces constructions n'appartiennent pas plus à la Capitale, que ce pont n'est celui de Henri IV; elles dépendent d'un joli village, devenu célèbre parce qu'il fut le lieu de délassement des grands génies du siècle de Louis XIV. Molière, le premier de nos poëtes comiques; Racine, l'un de nos plus célèbres auteurs de tragédies; Boileau, l'illustre régent du Parnasse français; le bon La Fontaine, et la plupart des grands hommes de l'époque, habitaient Auteuil dans la belle saison, ou bien y venaient chez leurs amis fuir le tumulte de la ville et les tracasseries de la cour. Quelques-unes des rues de ce séjour enchanteur par le voisinage du bois de Boulogne, portent encore le nom de ces hommes fameux... — Ainsi, papa, s'écria Jules!... (pardon si je vous interromps), c'est à Auteuil que Boileau aura composé son *Épître* au jardinier Antoine? — Cela est très-probable, mon ami. — Oh! que je voudrais parcourir un village où tout doit être plein du souvenir de ces grands noms! — Hélas! mon cher ami, j'ai eu comme toi cette idée lors de mon premier voyage à Paris, mais malheureusement Auteuil n'est habité que par des demi-paysans, qui, quand on leur parle de Boileau, d'Aguesseau ou La Fontaine, vous renvoient aux rues de leur village ainsi nommées, sans pouvoir vous dire l'origine de cette dénomination; ou de riches habitans de la ville, qui s'inquiètent fort peu que des gens d'esprit aient jadis honoré de leur présence les lieux où ils traînent leur existence toute matérielle. — S'il en est ainsi, papa, je renonce à visiter Auteuil.

« Croyez-vous, papa, reprit Caroline, qu'en passant sur ce pont l'on puisse également entrer dans Paris? — Cela n'est pas douteux, ma chère amie; nous en serions quittes pour arriver par une autre barrière. Nous pouvons d'ailleurs consulter là-dessus les préposés à la garde de ce passage.

CHAPITRE II.

Suite de l'Introduction. — Grenelle. — Ensemble de Paris. — Barrières. — Boulevards extérieurs.

Le résultat de ces informations fut que le pont était celui de Grenelle, ainsi nommé d'un village qui, sous le titre pompeux de *Beau-Grenelle*, s'élève peu-à-peu dans la vaste plaine de ce nom, située de l'autre côté de la rivière, en face d'Auteuil. Cette plaine est célèbre dans les annales de la révolution française par l'explosion d'un atelier de fabrication de poudre, arrivée en 1794. Déjà un assez grand nombre de maisons s'élèvent sur cette vaste étendue de terrain. M. de Mériadec avait peine à croire à l'existence future d'une espèce de cité sur un emplacement qu'il avait vu couvert des flots bourbeux de la Seine, toutes les fois qu'il avait fait en hiver le voyage de la capitale. Mais que ne peut-on pas attendre de l'industrie, quand elle a dans ses mains les fonds nécessaires pour l'exécution des plans qu'elle a conçus ? Déjà nos jeunes voyageurs en avaient une preuve sous les yeux. Le centre du pont de Grenelle repose sur la pointe d'une langue de terre presqu'aussi haute que lui-même ; eh bien ! ce sol, que son élévation actuelle rendait méconnaissable pour M. de Mériadec, n'était autre qu'un îlot qu'il se rappelait fort bien avoir vu surgir à peine au-dessus des plus basses eaux dans les années de sécheresse. « Ce que l'on a fait pour ce petit espace, lui dit la personne à laquelle il s'était adressé, ne peut-il pas, avec du temps, de l'argent et de la patience, s'exécuter sur une échelle plus étendue?

« Vous voyez, ajouta le *Cicerone* (1), que cette île, ainsi exhaussée, est destinée à devenir une promenade agréable entre les deux bras de rivière; déjà l'on y a planté de jeunes arbres, dont, à la longue, les racines affermiront encore le sol. — Mais vous ne nous dites pas tout, Monsieur, interrompit Jules; j'aperçois encore, là-bas, du côté de Paris, des pilotis au travers desquels l'eau paraît s'écouler; d'ici l'on croirait voir un pont bâti le long de la rivière au lieu de l'être en travers. — Il y a effectivement, mon jeune monsieur, à la pointe orientale de l'île, une espèce d'estacade au travers de laquelle s'écoule le bras de rivière qui en baigne l'autre côté; sur cette estacade est un léger plancher qui abou-

(1) Nom que l'on donne en Italie, et par imitation, en France, aux gens chargés de conduire les voyageurs partout où il se trouve quelque chose de curieux, et de leur en expliquer les détails.

tit au quai devant l'École Militaire, et l'on se trouve dans la ville sans franchir la barrière. — Oh! papa! papa! si nous prenions ce joli chemin pour entrer dans Paris? — Vous pourriez, Messieurs, le parcourir à pied, mais votre voiture serait obligée de suivre le grand chemin de l'un ou de l'autre côté de l'eau, car il n'y a point de passage pour elle sur le petit plancher de l'estacade. — Tu vois, mon fils, que ce que tu demandes est impraticable. Ta mère.... — Laissez-moi lui en aller demander la permission; vous et moi, nous viendrions par ici, tandis que la voiture ramènerait au-devant de nous maman et Caroline, sur le quai que Monsieur indiquait tout à l'heure. Dans le chemin, nous causerions de cette barrière que nous aurions évité de franchir, et, commele trajet a l'air passablement long, de quelqu'autre partie de ce Paris que j'ai si grande envie de connaître. — Comme ton désir n'a rien de déraisonnable, je veux bien le satisfaire; vas donc prévenir ta maman. »

Jules courut à toutes jambes vers la voiture qu'ils avaient laissée sur la route. Non-seulement M.me de Mériadec consentit pour son fils et son mari à la promenade projetée, mais, se sentant assez bien pour le moment, elle voulut en être avec sa fille ; après avoir donné au cocher l'ordre de passer la barrière, et de rabattre par le quai de l'autre rive au-devant de la famille, soutenue de chaque côté par ses enfans, elle vint, au grand étonnement de M. de Mériadec, le rejoindre sur la culée du pont où il était resté en conversation, toujours avec la même personne. C'était l'un des commis placés au petit bureau de l'estacade, dont nous avons parlé, pour empêcher la contrebande qui se ferait aisément à pied par ce passage, s'il n'était point gardé comme les autres.

Cet homme, d'une politesse peu commune parmi ses pareils, offrit à la société de l'accompagner dans la petite promenade qu'elle allait faire, et de lui donner, chemin faisant, quelques notions, soit sur les points de vue qui pourraient l'intéresser, soit concernant la Capitale. La proposition fut acceptée avec reconnaissance. A l'exception du pont qui est formé de six arches, et qui pourra être fort utile par la communication qu'il établit entre les deux rives, surtout lorsque de nouvelles routes seront tracées, le trajet projeté a peu d'attrait pour la curiosité. Du côté gauche, en remontant la Seine, sont les maisons peu apparentes du bas de Passy, la barrière du même nom, dont deux statues, représentant la Bretagne et la Normandie, sont le plus bel ornement; du côté droit, l'on découvre la plaine, encore à peu-près nue, de Grenelle; les masures du gros Caillou, et une barrière qui n'a rien de bien saillant. Pour suppléer à la stérilité du paysage, M. de Mériadec mit à contribution les connaissances de l'homme qui les accompagnait, et comme elles étaient très-étendues en ce qui concerne la ville que chacun de nos voyageurs était si curieux de connaître, il en tira les renseignemens ci-après, dont Jules surtout ne perdit pas un seul mot.

Paris, chef-lieu du département de la Seine, et Capitale du Royaume, est l'une des plus riches, des plus industrieuses et des plus florissantes villes de l'univers. Sa surface couvre l'espace de plus de 1,000,000 arpens ; sa population se compose d'environ 890,500 habitans ; il est divisé en douze arrondissemens, subdivisés eux-mêmes en 48 quartiers (quatre par arrondissement). Chaque quartier est désigné par un nom qui est celui de l'un des monumens ou rues qu'il renferme ; les arrondissemens le sont par numéros, depuis un jusqu'à douze.

Le premier arrondissement, ou n.º I, comprend les quartiers du Roule, des

Champs-Élysées, de la Place Vendôme et des Tuileries;

Le II.e, ceux de la Chaussée-d'Antin, du Palais-Royal, de Faydeau et du Faubourg Montmartre;

Le III.e, ceux du Faubourg Poissonnière, de Montmartre, de Saint-Eustache et du Mail;

Le IV.e, ceux de Saint-Honoré, du Louvre, de la Halle et de la Banque de France;

Le V.e, ceux du Faubourg Saint-Denis, de la Porte Saint-Martin, de Bonne-Nouvelle et de Montorgueil;

Le VI.e, ceux de la Porte Saint-Denis, de Saint-Martin-des-Champs, des Lombards et du Temple;

Le VII.e, ceux de Saint-Avoie, du Mont-de-Piété, du Marché Saint-Jean et des Arcis;

Le VIII.e, ceux du Marais, de Popincourt, du Faubourg Saint-Antoine et des Quinze-Vingt;

Le IX.e, ceux de l'Ile Saint-Louis, de l'Hôtel-de-Ville, de la Cité et de l'Arsenal;

Le X.e, ceux de la Monnaie, de Saint-Thomas-d'Aquin, des Invalides et du Faubourg Saint-Germain;

Le XI.e, ceux du Luxembourg, de l'École-de-Médecine, de la Sorbonne et du Palais-de-Justice;

Et le XII.e, ceux de Saint-Jacques, de Saint-Marcel, du Jardin-du-Roi et de l'Observatoire.

Trois seulement de ces douze arrondissemens sont trop au centre de la ville pour confiner aux barrières; ce sont: les IV.e, VII.e, et IX.e. Les neuf autres arrondissemens se les partagent inégalement. Voici la liste nominale de ces barrières, prise en partant de celle qui se trouvait à la gauche de nos voyageurs; suivant, sans interruption, la chaîne de murailles qui entourent la Capitale, et arrivant ainsi jusqu'à la barrière qui, de l'autre côté de la rivière, s'élevait à leur droite; savoir :

Les barrières de Passy, Francklin, Sainte-Marie, Longchamp, des Bassins, de Neuilly, du Roule, de Courcelles, Chartres et Monceaux. Ces dix barrières sont situées sur le premier arrondissement, que la suivante, celle de Clichy, sépare du II.e; viennent ensuite les barrières Blanche, de Montmartre, des Martyrs et de Rochechouart, qui, toutes quatre, appartiennent au II.e arrondissement. La barrière Poissonnière (ou du Télégraphe), qui est du III.e; celle de Saint-Denis, qui borne les III.e et V.e arrondissemens; celles des Vertus, de la Villette, de Pantin, de la Boyauterie, du Combat et de la Chopinette, appartenant à ce dernier; la barrière de Belleville qui sépare les V.e et VI.e arrondissemens; celles de Ramponeau et des Trois-Couronnes, qui sont du VI.e; de Ménil-Montant où il finit, et où commence le VIII.e. Les douze barrières des Amandiers, d'Aunay, des Rats, de Fontarabie, Montreuil, Vincennes (ou du Trône), Saint-Mandé, Picpus, Reuilly, Charenton, Bercy et la Rapée, font partie de ce dernier, que la rivière sépare du XII.e.

De l'autre côté de l'eau sont les barrières de la Gare, d'Ivry, d'Italie, de Croulebarbe, de l'Oursine, de la Santé, d'Arcueil, d'Enfer et du Mont-Parnasse, au nombre de neuf, et toutes du XII.e arrondissement; celles du Maine et des Fourneaux, bordant le XI.e; la barrière de Vaugirard, qui sépare celui-ci du X.e arrondissement, et enfin les cinq barrières de Sèvres, des Paillassons, de l'Ecole-Militaire, de Grenelle et de la Cunette, qui ferment le X.e arrondissement.

Ces barrières, à peu près telles qu'on les voit aujourd'hui, les colonnes, les arcades et frontons qui les décorent, et le mur qui entoure la ville, furent bâtis en 1782 (sept ans avant la révolution qui les rendit inutiles (1) pendant quelques années), par les fermiers-généraux, qui percevaient, comme on le fait encore aujourd'hui, des droits d'entrée sur les marchandises nécessaires à la consommation de la Capitale. Ils y tenaient à cet effet des employés appelés par le peuple : *Gabelous*, du nom de Gabelle, donné à leur administration. Ils sont remplacés aujourd'hui par les commis de l'*Octroi*, que le nouvel ordre de choses a substitué aux fermiers-généraux, quand on a rétabli ce service. En dedans de la ville, et

(1) Inutiles pour vous et vos camarades, Monsieur le commis aux octrois. cela n'est pas douteux; mais les gens qui gouvernaient alors leur avaient donné une destination toute nouvelle. La ville, à cette époque, était devenue une sorte de prison, et les barrières en étaient les portes, que nul ne pouvait franchir sans être muni de cartes de sûreté qui, par leur destination, avaient beaucoup d'analogie avec les permis que l'on délivre encore aujourd'hui pour autoriser l'introduction auprès des personnes détenues.

tout autour de la muraille qui l'enveloppe, est un espace vide que l'on appelle *Chemin de Ronde*, parce que c'est celui que suivent les rondes d'employés chargés d'observer si l'on ne passe aucune denrée par-dessus les murs, et de faire acte de présence à chaque barrière, comme les militaires en patrouille, à chaque corps-de-garde.

Le complaisant employé, dans le moins de mots possible, croyait avoir dit tout ce qu'il importait de savoir sur l'enceinte de Paris ; mais il avait dans Jules un auditeur réfléchi, qui ne laissait échapper aucune omission ; le jeune de Mériadec demanda quelle étendue de terrain couvrait cette vaste circonférence, et combien de tems un homme à pied mettrait à en faire le tour ? « Plus de cinq lieues et demie, lui répondit-on ; et, par conséquent, cinq à six heures, en marchant bien, et s'il avait eu la précaution de se faire tenir un batelet tout prêt pour traverser la Seine, au-dessus et au-dessous de la ville. Du reste, par un beau tems, ce trajet serait fort agréable, car il existe autour de Paris un boulevard extérieur, composé d'une chaussée bien entretenue, et, de chaque côté, d'une contre-allée dont les arbres touffus y entretiennent un continuel ombrage (1). »

(1) Il se trouve cependant encore une lacune entre les barrières d'Arcueil et d'Italie, où le mauvais état de la route forme avec le reste des boulevards extérieurs un contraste frappant. Mais il faut espérer que cette portion de terrain ne tardera pas à recevoir des réparations indispensables.

JARDIN DU PALAIS ROYAL.

En 1828, ont commencé les travaux de remplacement des Galeries de bois du **Palais Royal** *par une superbe galerie en pierres, ornée de glaces.*

Le Pont du Jardin du Roi *ou* **d'Austerlitz,** *commencé en 1801 a été achevé en 1806. Mr Bequey de Beaupré en a donné les dessins.*

PONT DU JARDIN DU ROI.

CHAPITRE III.

Suite. — Ponts et Iles dans Paris.

« JE vous remercie, Monsieur, dit très-gracieusement Caroline, tant pour nous, qui profitons de vos obligeantes réponses, que pour mon frère lui-même, dont je vous prie d'excuser la minutieuse curiosité. — Cette curiosité n'a rien que de très-louable, Mademoiselle, et je voudrais être en état de répondre avec autant de connaissance de cause sur tous les objets à l'égard desquels vous ou monsieur votre frère pourriez m'interroger. — Si je suis minutieux, ma chère sœur, c'est pour ne pas décider les choses à tort et à travers comme certaine jeune personne, fort instruite du reste, qui, de la route voisine, apercevant un pont tout nouvellement bâti, voulait absolument que ce fut le Pont-*Neuf*. — Méchant! je vous demande, Monsieur, si je puis connaître les ponts d'une ville où je ne suis jamais venue. — Il ne fallait donc pas dire : voilà le Pont-Neuf! — Si vous voulez me prêter un peu d'attention, Mademoiselle, vous les connaîtrez bientôt mieux que bien des gens qui habitent Paris depuis leur naissance. »

Ici le commis de l'octroi fit complaisamment des ponts de la Capitale un historique assez compliqué, dont nous ne donnerons que la substance, vû le défaut d'espace, qui nous force à retrancher totalement la petite morale qu'adressa M.me de Mériadec à ses enfans, sur les attaques indirectes qu'ils venaient de se permettre l'un contre l'autre.

Il existe maintenant à Paris seize ponts; pendant quelques jours on en a compté dix-sept ; mais, avant de le livrer à la circulation, il a fallu mettre au magasin le plancher d'un pont suspendu par des *fils de fer*, ou plutôt des chaînes de ce métal, que l'on avait établi pour la communication des Champs-Elysées à l'Esplanade des Invalides. Il paraît que les énormes colonnes que l'on a vues longtems sur les deux rives, et qui lui servaient de support, menaçaient déjà de manquer par la base et de céder au poids qu'elles devaient soutenir.

Voici, en remontant la Seine, et toujours en prenant pour point de départ l'endroit où se trouvaient nos voyageurs, la liste des seize ponts existans, et une courte notice sur chacun d'eux.

Le *Pont de l'École militaire* conduit du quai de Billy (celui qui se termine à la barrière de Passy) au Champ de Mars, au fond duquel est située l'École Militaire (1), dont il tire son nom actuel. Il ne fut achevé qu'en

(1) Nous reviendrons sur cet établissement et sur le champ célèbre qui l'avoisine.

1815, après neuf années de travaux. Différent en cela de tous les anciens ponts de pierre de la Capitale, le plan de sa chaussée est horizontal : à cet effet, le terrain a été élevé sur les deux rives à la hauteur nécessaire. On raconte au sujet de ce pont une anecdote bien honorable au feu roi Louis XVIII.

Bâti par les ordres de Bonaparte, il portait dans l'origine le nom d'Iéna, en mémoire d'une victoire célèbre des Français. Lorsque les armées étrangères entrèrent à Paris en 1815, leurs souverains prirent la résolution de faire sauter ce pont, dont le nom choquait leur orgueil, en leur rappelant une sanglante défaite. Déjà des barils de poudre avaient été apportés et les ingénieurs calculaient tous les moyens possibles d'en rendre l'effet plus certain, quand le roi, qui avait déjà fait auprès de ses alliés plusieurs tentatives inutiles pour les détourner de leur dessein, leur adressa ce dernier message : « Si vous persistez à détruire ce monument, l'un des plus glorieux de ma Capitale, j'irai m'asseoir sur la première pile du pont d'Iéna, et le baril de poudre qui la fera sauter me délivrera du fardeau de l'existence. » Cette courageuse déclaration étonna les destructeurs, et le pont fut conservé.

Le *Pont de Louis XVI*, (autrefois de Louis XV, à cause de la statue de ce prince, élevée jadis au milieu de la place voisine, statue renversée dans la révolution et que l'on va remplacer incessamment par celle de Louis XVI, bien plus digne des hommages de la postérité); le pont de Louis XVI fut commencé en 1783 et achevé en 1791. Il communique de la place de Louis XVI, qui sépare les Champs-Elysées des Tuileries, au faubourg Saint-Germain, en face du Palais-Bourbon, où la Chambre des Députés tient ses séances. Il a cinq arches, élégamment formées chacune d'une portion d'arc de cercle, et soutenues par des piles légères, avec des colonnes engagées. Les parapets sont en balustrades à jour; à l'aplomb des piles sont des obélisques sur lesquels on place en ce moment les statues de douze grands hommes (1). Presque tous les ans l'on tire de dessus ce pont, dans les fêtes publiques, des feux d'artifice, aux acclamations d'une population immense qui couvre les autres ponts et les deux rives de la Seine.

Le *Pont Royal* est ainsi nommé parce qu'il est en face du Château des Tuileries, habité par le souverain; il aboutit aux quais de Voltaire et d'Orsay, séparés par la rue du Bac qui conduit au bout du faubourg Saint-Germain. Dans la malheureuse journée du 10 août 1792, où les révolutionnaires emportèrent d'assaut le Château des Tuileries, une pièce de canon braquée contre lui faisait de la culée du pont un feu continuel. Longtems après l'on voyait encore la trace d'un boulet entre deux croisées du bâtiment nommé le Pavillon de Flore.

(1) A l'occident : le grand Condé, Duguesclin, Colbert, Sully, Duquesne et Duguay-Trouin ; à l'orient : Turenne, Bayard, Suger, Richelieu, Tourville et Suffren.

Le *Pont des Arts* mène du Louvre au Palais des Beaux-Arts ou de l'Institut. Il est composé de huit piles et deux culées en pierre de taille, sur lesquelles s'appuient neuf arches en fer fondu, supportant un plancher horizontal, formé de fortes solives. Il n'y passe que des gens de pied, assujettis à un péage de 5 centimes ou 1 sou par tête; ce qui a fait dire à un mauvais plaisant qu'il y avait à ce pont-là autant de personnes dessus que *dessous* (que de sous). Cette taxe ne devait se prélever que pendant quelques années; mais elle est productive, et les réparations du plancher sont apparemment très-coûteuses.

Le *Pont-Neuf* doit ce nom à ses NEUF débouchés; savoir: à gauche, (toujours du point d'où nous sommes partis), la place de l'École qui fait face au pont, et les quais de l'École et de la Ferraille; au milieu, sur le terrain de la Cité, (en face de la statue du bon Henri, qu'on y a rétablie depuis la restauration), la place Dauphine, flanquée à droite du quai des Orfèvres, dont toutes les boutiques étaient autrefois occupées par des marchands de cette profession; et, à gauche, de celui des *Morfondus*, ainsi nommé à cause du vent froid qui y souffle en toute saison; enfin, à l'autre extrémité du pont, la rue Dauphine (en face) et les quais des Augustins et de la Monnaie.

Ce passage est si heureusement situé au centre de la ville, qu'il en est le point de communication le plus fréquenté; il est comme passé en proverbe qu'un créancier, s'il voulait rejoindre infailliblement un débiteur introuvable, n'aurait qu'à s'établir à poste fixe, trois ou quatre jours de suite, sur le milieu du Pont-Neuf, pour être certain de voir son homme.

Ce fut Henri III qui posa la première pierre du Pont-Neuf, en 1578; les troubles de la ligue en suspendirent l'érection; mais lorsque Henri IV, ce prince

. . . . qui régna sur la France,
Et par droit de conquête et par droit de naissance,

eût forcé les Parisiens à le recevoir, il supprima l'impôt que son prédécesseur avait établi pour subvenir aux frais de construction, et fit continuer le pont de ses propres deniers. Il ne fut achevé qu'en 1604. Pour le bâtir, on avait joint deux petites îles situées au couchant de la Cité, et qui, jusqu'alors, en avaient été séparées par un bras de la rivière, à l'endroit où se voit aujourd'hui la rue du Harlay. C'est sur ces deux petites îles, dont la plus grande s'appelait l'*Ile aux Treilles* et l'autre l'*Ile de Bucy*, que l'on éleva la place Dauphine. On lit dans l'histoire, qu'en 1160, Louis le jeune fit don au Chapelain de Saint Nicolas du Palais, de six muids, par chaque année, de vin du crû de l'île aux Treilles; ce qui, indépendamment du nom lui-même de cette île, prouve que l'on cultivait en cet endroit des vignes, quoique l'exposition ne dût pas leur être bien favorable.

Le Pont-Neuf a 110 toises de longueur, sur 9 environ de largeur; il y a, comme sur presque tous les autres, un trottoir de chaque côté pour les gens de pied ; précaution bien utile sur celui-ci, qui, sans cesse, est encombré de voitures allant et venant : ce fut en 1774 seulement, qu'aux deux extrémités de chacune de ses piles, formant des demi-lunes saillantes, l'on construisit les guérites ou boutiques en pierre de taille, occupées le jour par des marchands, obligés d'avoir leur logement ailleurs. Ces boutiques appartiennent à l'Administration des Hospices qui les leur donne à bail à des prix très-élevés. Vers l'extrémité septentrionale du pont, il existait autrefois une pompe qui fournissait de l'eau dans beaucoup de quartiers. Les perfectionnemens de l'art hydraulique ont rendu inutile cette machine prête à tomber de vétusté. Un trait de la vie de Notre Seigneur J.-C., sculpté sur son fronton, lui avait mérité le nom de *la Samaritaine;* elle fut démolie en 1823, au grand regret des gens du peuple qui l'invoquaient presque sous le nom de *Sainte-Maritaine.*

Ce pont a été souvent le théâtre de scènes populaires : en 1617, l'évêque de Luçon, depuis célèbre sous le nom de cardinal de Richelieu, le traversait au moment où une populace effrenée exerçait mille cruautés sur le cadavre de Concini, maréchal d'Ancre, favori de la reine *Marie de Médicis*; le carosse du cardinal ayant malheureusement froissé un de ces furieux, le prélat redoutait, avec assez de justice, qu'on le reconnut pendant le débat qui s'était élevé entre son cocher et cet homme, et que la haine vouée par le peuple à Concini ne s'étendît jusqu'à lui qui devait sa fortune au maréchal : ce péril imminent lui fit demander, froidement, ce que l'on faisait-là? On lui expliqua l'affaire. Aussitôt le cardinal se mit à louer le zèle des Parisiens, les appela fidèles sujets de S. M., et fit entendre, à tue-tête, le cri de *Vive le Roi*; stratagème plus heureux qu'honorable, et qui lui ouvrit sur le champ un passage au travers des flots de la foule enthousiasmée.

En 1789, la populace faisait descendre les riches de leurs équipages et les forçait à saluer la statue de Henri, qu'elle renversa bientôt après !!!

A la place Dauphine commence (ou finit dans un sens différent) l'Ile du Palais ou de la Cité, qui divise la Seine en deux bras et nécessite l'existence de deux ponts sur une même ligne; savoir : à gauche, (toujours en remontant la Seine) :

Le *Pont au Change*, qui, situé en face de la Place du Châtelet, communique à celle du Palais de Justice; il est d'une largeur extraordinaire et supportait autrefois non-seulement deux rangs de maisons dans toute sa longueur, mais encore, au centre de son extrémité septentrionale, une longue suite de constructions qui l'y divisaient en deux parties. Son nom, qu'il conserve depuis 1142, vient de ce qu'à dater de cette époque la plupart des boutiques en étaient occupées par des changeurs. Il était alors en bois; il fut détruit successivement par deux incendies qui éclatèrent en 1623 et en 1639; par suite de ce dernier, on le rebâtit en pierre tel que nous venons de le décrire. Lorsqu'Isabeau de Bavière, épouse du roi Charles VI, fit son entrée à Paris, on tendit du haut des tours Notre-Dame, jusqu'à l'une des maisons de ce pont, une corde sur laquelle un Génois descendit en dansant et tenant, de chaque main, un flambeau allumé; il passa entre des rideaux de taffetas blanc à grandes fleurs de lys d'or, formant une sorte de tente où la reine était assise sur un trône, lui posa sur la tête une couronne; puis, sortant de la tente, armé de ses deux brandons, reprit, aux yeux de tous, sa course aérienne. Aux fêtes du sacre de Napoléon, deux célèbres acrobates, ou danseurs de corde de l'époque, les sieurs Forioso et Ravez, devaient exécuter dans un espace plus resserré, entre le Pont-Neuf et le Pont-Royal, un exercice de ce genre; déjà les cordes étaient tendues, et les bons parisiens, postés sur leurs jambes, attendaient patiemment les danseurs, quand on vint annoncer que le tour promis n'aurait pas lieu. Ainsi demeura intacte la gloire de l'acrobate Génois du XIV.e siècle.

A gauche, de l'autre côté de l'île, se trouve le *Pont Saint-Michel*, qui conduit à la rue de la Harpe, et à ce qu'on appelle vulgairement le *Quartier Latin*, parce que c'est celui où se trouvent la plupart des colléges ou institutions, et les écoles de droit et de médecine. Ce pont, plus large à proportion que long, n'est que de quatre arches.

Un peu au-dessus est le *Petit-Pont*, qui établit la communication entre la rue Saint-Jacques, autre aboutissant du Quartier Latin, et la Cité ; le bras de rivière qu'il couvre, étant à cette place encaissé entre deux murailles assez rapprochées l'une de l'autre, il n'a qu'une seule pile qui le supporte au milieu ; dans les temps de sécheresse, l'eau qui la baigne conserve à peine un faible cours.

Sur la même ligne, à gauche, après avoir parcouru l'étroite rue de la Lanterne, on arrive au Pont *Notre-Dame*, qui doit ce nom au voisinage de la Cathédrale, dédiée à la mère du Sauveur; celui-ci conduit au quartier Saint-Martin. Il avait aussi anciennement ses deux rangs de maisons qui furent démolies en 1786. Il est encore masqué par une hideuse construction sur pilotis, que l'on n'y conserve qu'en raison de son utilité : c'est ce qu'on appelle la *Pompe Notre-Dame*, machine hydraulique fort ancienne, dont le mécanisme extrêmement simple porte l'eau, par plusieurs tuyaux, au-dessus de la voûte des arches, d'où elle va ensuite alimenter les fontaines et les jardins publics. Ce fut sur le pont Notre-Dame que l'infanterie ecclésiastique de la ligue, monstrueuse confédération, dirigée par les Jésuites contre Henri III, et contre son légitime héritier, le roi de Navarre, qui, malgré les efforts de ses ennemis, lui succéda sous le nom de Henri IV, fut passée en revue par le légat du Pape, en 1590; cette armée ridicule devait se développer difficilement dans la rue étroite que formaient sur ce pont les hautes et vilaines maisons qui ne disparurent que près de deux cents ans plus tard. Quoi qu'il en soit, jésuites, capucins, minimes, cordeliers, jacobins et feuillans, oubliant que leur mission sur la terre était toute pacifique, et que Jésus-Christ a dit : « Celui qui tirera l'épée périra par l'épée », avaient pris l'appareil militaire, et, la robe retroussée, le capuchon en arrière, le casque en tête, la cuirasse sur le dos, l'épée au côté, et le mousquet sur l'épaule, marchaient quatre de front, ayant à leur tête l'évêque de Senlis; des curés faisaient les fonctions de sergents-majors !! L'inexpérience de ces novices guerriers faillit de causer des accidens graves; car, ayant voulu saluer le légat, plusieurs d'entre eux oublièrent que leur fusil était chargé à balles, et l'un de ses aumôniers fut tué à ses côtés.

De ce pont l'on voit en perspective, et directement au-dessus de lui, le *Pont-Marie*, situé entre le quai des Ormes et l'île Saint-Louis. Il fut achevé par Christophe Marie, en 1635 ; il portait alors cinquante maisons ; mais vingt-deux d'entre les plus voisines de l'île ayant été renversées avec deux de ses arches en 1658, on rétablit cette partie du pont sans relever les constructions qui la couvraient précédemment, et les vingt-huit autres ne disparurent qu'à la fin du XVIII.e siècle.

La Cité compte encore trois ponts uniquement réservés aux piétons. Le pont de la *Cité*, qui lie cette île à celle Saint-Louis, formé de deux arches en bois, soutenues au milieu de la rivière par une énorme pile en pierre de taille ; il a, depuis quelques années seulement, remplacé le *Pont-Rouge*, bâti tout en bois, que sa vétusté avait forcé de démolir. Cette communication importante, par le fait de cette destruction, était restée fort long-temps fermée.

Le pont *au-Double*, ainsi nommé, parce qu'on y payait autrefois un *double* tournois (deux deniers), s'appuie d'un bout au quai de l'Archevêché, de l'autre sur un nouveau quai.

On a depuis élargi ce pont par la démolition d'une partie des bâtimens de l'Hôtel-Dieu qui en couvraient plus des deux tiers; il n'y faut plus qu'un nouvel abatis pour le livrer à la circulation des voitures.

Le troisième de ces ponts est celui de Saint-Charles, uniquement employé au service des bâtimens de l'Hôtel-Dieu, au centre duquel il se trouve enclavé. Couvert d'une légère toiture, et garni de vitrages, il sert à la promenade des malades quand le temps est mauvais.

Au-dessus de la Cité, et sur une ligne parallèle à celle du Pont-Marie, est celui de la *Tournelle*, ainsi nommé d'une petite tour carrée, dite la Tournelle, qui s'élevait jadis à peu de distance de l'endroit où il aboutit au midi, sur un quai du même nom.

De l'autre bout, au nord, il s'appuie sur l'île Saint-Louis ; et la rue qui, séparant cette île par la moitié, conduit au Pont-Marie, s'appelle rue des Deux-Ponts.

A propos d'îles, n'oublions pas un îlot situé au nord à une très-faible distance au-dessus de l'île Saint-Louis : l'île Louviers, (c'est ainsi qu'on appelle et qu'on appellera ce terrain long-temps après que la rivière aura cessé de l'entourer ; ce qui ne tardera pas sans doute, car déjà l'estacade au travers de laquelle s'étendait, à sa partie supérieure, un petit bras de la Seine, a été remplacée par une espèce de chaussée) ; l'île Louviers, dis-je, est couverte de chantiers de bois à brûler. A son extrémité inférieure, elle communique au quai de l'Arsenal par un pont en bois qui sert exclusivement à l'exploitation de ce commerce. Il porte le nom de *Grammont*, et date de la fin du XVII.e siècle.

Le seixième et dernier pont s'élève entre le port de la Rapée, un peu au-dessus de l'embouchure du canal Saint-Martin (ci-devant fossés de l'Arsenal), et le Jardin du Roi, ou des *Plantes*, ainsi qu'on l'appelait avant la restauration. Il est de construction moderne, et porte encore dans le public le nom de Pont *d'Austerlitz*, auquel l'administration a substitué, depuis quelques années, celui de Pont du *Jardin du Roi*. Il se compose de cinq arches en fer, supportées par des piles et culées en pierre de taille. Commencé en 1802, achevé en cinq années, il a coûté environ trois millions, avancés par une compagnie à laquelle a été concédé un droit de péage qui doit expirer en 1836. Les bestiaux et voitures circulent dessus aussi bien que les piétons, en payant le passage aux termes du tarif.

Trois nouveaux ponts vont encore faciliter la circulation dans Paris. Les deux premiers sont en pleine construction; leur emplacement est peut-être un peu trop voisin de communications semblables. L'un sera situé place de Grève, et aboutira dans la Cité, entre les ponts Marie et Notre-Dame; l'autre, dans la Cité, communiquera du quai de l'Archevêché au port aux Tuiles, entre le pont de la Tournelle et le pont au-Double. Déjà les culées du premier sont achevées, et l'unique pile qui doit le supporter au milieu sera bientôt au niveau, très-élevé en ce moment, de la rivière; au second, il ne reste guères à poser que la *clef* de la voûte de ses trois arches. Le troisième, destiné à remplacer le pont en fil-de-fer qui n'a point réussi devant les Invalides, sera construit un peu au-dessus du point où était ce dernier, et servira de passage entre l'allée des Veuves, dont une extrémité part du rond point des Champs-Elysées, et le Gros-Caillou, vers le nouveau bâtiment destiné à la Manufacture des tabacs.

CHAPITRE IV.

Suite. — La Pompe de Chaillot. — Celle du Gros-Caillou. — Autres Pompes et Fontaines de la Capitale. — Installation dans Paris.

La famille Mériadec était arrivée sur le quai de l'École-Militaire, où l'attendait la berline ; elle se sépara du commis de l'octroi, non sans l'avoir remercié, pour la vingtième fois, de sa complaisance, et monta dans la voiture, où, tandis que les chevaux repassaient le pont d'Iéna, et tournaient à droite sur le quai de Billy, la conversation roulait sur les notions intéressantes que l'on venait de recueillir. On sent bien que, dans la bouche des enfans, des questions sans nombre se succédaient avant même que leur père eût le temps d'y répondre. Tout-à-coup, elles furent interrompues par une exclamation de Jules : « Ah! papa, papa, un monument! Celui-là doit être curieux, si j'en juge par la fumée noire et épaisse qui sort de l'un de ces grands tuyaux de cheminée, et par la vapeur qui s'exhale avec un long sifflement de ce toit en forme de rotonde. — Oh! mon frère, un monument! c'est quelque four à plâtre, construit plus élégamment que dans nos cantons, parce qu'il l'est à l'entrée de la grande ville. — Ton frère a raison, Caroline; c'est en effet un monument, et d'une grande utilité pour la capitale, dont quelques quartiers, éloignés de la rivière, lui doivent l'eau que leurs fontaines distribuent dans le voisinage. — Vois-tu, ma sœur, que tu es toujours prête à tourner ce que je dis en ridicule; fi! que c'est vilain!

mademoiselle! Aussi, pour vous punir, je vais prier papa de me mener voir l'intérieur de ce four à plâtre, et maman de permettre que tu nous accompagnes. — Nous ne demanderions pas mieux, mon fils, dit M.me de Mériadec, mais si tu apprends ou vois tant de choses en un jour, je crains bien qu'il ne t'en reste rien dans la mémoire. — Vous vous trompez, maman; et j'espère dans quelques jours en visiter bien davantage, et n'en pas perdre la moindre chose. — Je serais curieux, reprit M. de Mériadec, de savoir comment tu t'y prendrais pour ne point embrouiller tant de faits différens. — Comment? papa! Comme je viens de le faire, tandis que cet honnête employé entrait avec nous dans des détails si minutieux au sujet des barrières et des ponts de Paris. Voyez ce petit cahier; il est intitulé : *Tablettes de Jules*. Or, sur ces tablettes, avec le crayon que voilà, j'inscrivais les noms des principaux objets dont nous parlait ce Monsieur, et quelques mots de ses phrases ; j'en vais faire autant de ce que nous verrons dans la pompe, et ces renseignemens suffiront pour me rappeler jusqu'à la moindre circonstance de ce qui aura frappé mes regards. — La méthode n'est pas mal imaginée ; mais dans quelques jours tous ces mots jetés sur le papier seront aussi insignifians pour toi que pour celui qui par hasard ouvrirait tes tablettes. — Aussi, papa, n'attendrai-je pas quelques jours pour rassembler mes idées. Dès ce soir je veux en faire le relevé et les mettre en corps de récit. — Peste ! il ne te manquerait plus que de les faire imprimer. — Hum ! si j'osais...! mais en attendant, mon petit papa, voyons toujours la pompe à feu. — Je le veux bien. — Si jamais mon ouvrage se publie, je le ferai décorer de vignettes et surtout d'un frontispice, au bas duquel se liront ces mots, en gros caractères :

« Jules, conduit par ses père et mère, et » accompagné de sa *petite taquine* de sœur,

» visite la pompe à feu de Chaillot, le jour
» même de leur arrivée à Paris. »

— Oh ! là ! là ! comme c'est ronflant. Seulement, si chaque monument est l'objet d'une gravure et d'un texte proportionné à la dimension de ton épigraphe, le manuscrit ne tiendra pas sur une rame de papier, quelque *minutée* que soit ton écriture. Au reste, nous n'en sommes pas là. Visitons la pompe, en attendant. »

M.me de Mériadec, un peu fatiguée de la petite promenade qu'elle venait de faire, ne fut point de la partie ; mais elle ne voulut point priver sa fille d'en être, et cette jeune personne, après une faible résistance, accompagna son père et son frère. « Voyez, dit Jules ! je serai forcé de changer quelque chose à la *lettre* de mon frontispice. — Patience, lui répondit son père, avant que l'ouvrage paraisse, il te faudra faire bien d'autres changemens dans ton manuscrit ; toi-même, ne te souviens-tu pas de ce précepte de Boileau :

« Vingt fois sur le métier remettez votre ouvrage ;
Polissez-le sans cesse et le repolissez :
Ajoutez quelquefois et souvent effacez. »

La Pompe à feu tient au bas de Chaillot un emplacement considérable. Nos Bretons l'examinèrent dans tous ses détails. Ni le bassin profond qui baigne ses murs, ni l'immense quantité de charbon de terre dont ses cours sont pleines, ni les fours extérieurs dont la bouche ardente le dévore, n'échappèrent à leur inspection. On leur dit que le bassin, creusé de 3 pieds audessous du niveau des plus basses eaux, les reçoit par un canal de 7 pieds de large, situé à la même profondeur, dont l'autre extrémité répond au centre de la rivière, de sorte qu'aucun égoût ni ruisseau ne peut altérer l'eau qui par lui baigne le tuyau d'aspiration des pompes ; car dans le bâtiment il s'en trouve deux, dont l'une joue aussitôt que quelque besoin de réparation force l'autre de s'arrêter. Entrés dans son enceinte, ils virent, non sans quelque frayeur, ces énormes chaînons de fer, ces branches de même métal qui, s'abaissant et s'élevant tour-à-tour avec un bruit effroyable, font, en vingt-quatre heures, monter près de 50,000 muids d'eau dans les immenses réservoirs qui couronnent les hauteurs de Chaillot. De là, cette eau répartie dans une multitude de conduits alimente la plupart des fontaines publiques de la rive droite de la Seine, et étend même ses services jusqu'aux maisons particulières.

Tel est l'abrégé des merveilles que Jules eut à noter sur ses tablettes, au sujet de la Pompe à feu. Il y apprit qu'un établissement du même genre existe sur la rive opposée de la Seine, et distribue environ 14,000 muids d'eau, en vingt-quatre heures, dans les fontaines et pour le service intérieur des maisons du faubourg Saint-Germain (1).

(1) Indépendamment de ces deux pompes et de celle de Notre-Dame dont il a été parlé ci-devant, il

Tout fier d'instructions qu'il venait de *puiser* à leur véritable source, Jules, après

en existe dans Paris plusieurs construites sur un modèle infiniment plus petit, et servant particulièrement aux porteurs d'eau à tonneau, qui payent, pour y puiser, un droit proportionné à la capacité de cette sorte de voiture. La plupart sont alimentées par les trois grandes pompes; celles situées sur les quais font leur service au moyen de conduits souterrains dont la bouche répond au milieu de la rivière; leur manœuvre se fait à bras, ou au moyen de chevaux: celle du quai des Ormes est mise en mouvement par la vapeur et fournit, au besoin, de l'eau chaude aux habitans du quartier.

Quant aux fontaines publiques disséminées dans la ville, elles sont au nombre d'environ 120. On cite pour leur beauté les suivantes :

Celle du *Palmier*, place du Châtelet, se compose d'une colonne fort élevée en forme de palmier; à son sommet se tient debout une Renommée en bronze doré, les ailes déployées, les bras tendus et offrant des couronnes civiques. Le palmier est, à des intervalles égaux, coupé par des cercles sur lesquels sont inscrits les noms des lieux témoins de nos principaux faits d'armes, depuis la révolution; à sa base sont les statues de la Justice, la Force, la Prudence et la Vigilance se tenant par la main, et sur sa face principale subsiste encore un aigle au centre d'une

avoir jeté un dernier coup d'œil sur le monument, courut faire à sa mère, en mots

couronne de lauriers; aux quatre angles, l'eau jaillit d'une corne d'abondance et tombe dans un large bassin qui entoure ce monument, commencé en septembre 1807; inauguré en octobre 1808.

La fontaine de *Grenelle* est située dans la rue de ce nom, au faubourg Saint-Germain. Adossée contre un mur, elle se compose d'un avant corps et de deux ailes qui décrivent un demi-cercle. Toute la base forme un piédestal continu; sur l'avant corps du milieu règne un socle de glaçons, au-dessus duquel sont trois statues de marbre blanc; la principale, couronnée d'une tour, représente la ville de Paris, assise sur la proue d'un vaisseau; les deux autres, couchées et appuyées sur des urnes, sont le fleuve de la Seine et la nymphe de la Marne. Derrière, quatre colonnes ioniques et cannelées soutiennent un fronton triangulaire; sur les ailes, dans des niches, sont les quatre saisons, et, au-dessus, des bas-reliefs qui en représentent les amusemens. Les armes de la ville sont entre les statues. Quatre superbes mascarons de bronze donnent l'eau, qui y vient de la Seine.

La fontaine des *Innocens*, marché du même nom, a été transférée, en 1785, de l'angle des rues Saint-Denis et aux Fers, où elle fut originairement construite en 1531, au centre de la place où nous la voyons maintenant. Adossée contre un mur, elle ne

entrecoupés, le récit de tout ce qu'il avait vu et appris. M. de Mériadec et sa fille ar-

se composait autrefois que de trois arcades; aujourd'hui, visible de tous côtés, ses façades présentent chacune un portique ouvert, au centre duquel s'élève un vase d'airain, d'où jaillit une gerbe d'eau qui retombe en cascades par les quatre ouvertures, dans un vaste bassin de forme carrée comme le reste de l'édifice. Des statues de nayades, des lions en bronze doré, de riches bas-reliefs en complètent l'ornement. Dans les fêtes publiques, l'administration fait quelquefois au peuple la galanterie de substituer à l'eau journalière, un vin qui n'est peut-être pas toujours de première qualité, mais qui néanmoins ne manque pas d'amateurs.

La fontaine d'*Esculape*, rue et en face de l'Ecole de Médecine, forme une espèce de grotte, dont la voûte est soutenue par quatre colonnes cannelées, au-devant desquelles se prolonge un large bassin où l'eau tombe en nappe du sommet de l'édifice Inaugurée en 1806, elle portait à son fronton une inscription en l'honneur de celui qui tenait alors les rênes de l'état.

Celle du *Marché Saint-Martin* s'élève au centre de la place. Un groupe d'enfans, chargés des attributs de la pêche, de la chasse et des produits de la terre, supporte une coupe d'airain qui reçoit et répand l'eau dans un bassin dont sa base est entourée.

rivèrent ensuite, et la berline, après une station de plus d'une heure, se remit en

La fontaine de *François I.er*, située place du quartier de ce nom, (que l'on construit entre l'avenue de Chaillot et le cours la Reine), se compose d'un piédestal décoré de trophées et de têtes de lions jetant de l'eau, et surmontés d'une vasque dont la gerbe peut avoir 6 pieds d'élévation et 21 de largeur.

La fontaine de *Desaix* est moins remarquable par sa forme que par de glorieux souvenirs. Un bloc de pierre assez simple supporte le buste du héros mort à Marengo, que couronne un génie. Ce qu'elle a de plus curieux est la liste, gravée sur sa base, des noms des personnes et des corps armés qui souscrivirent pour son érection. Celui de Bonaparte, alors consul, s'y lit encore; la plupart des autres sont usés par le tems. Ce monument est situé au centre de la place Dauphine, où il fait face à la statue équestre

Du seul roi dont le pauvre ait gardé la mémoire.

Les autres fontaines sont en général fort simples. Elles distribuent *gratis* leurs eaux, après les avoir reçues, soit des trois pompes indiquées en tête de cette note, soit du bassin de la Villette, ou des aqueducs de Belleville et d'Arcueil.

Il existe de plus à Paris trois *Châteaux d'eau*; les deux premiers situés, l'un près de l'Observatoire, l'autre place du Palais-Royal, sont d'immenses ré-

route. Les voyageurs n'avaient pas songé à leur appétit, tant que leur curiosité s'était trouvée excitée; dans leur maison roulante, il se réveilla. Le postillon reçut donc

servoirs renfermés dans une construction, plus ou moins élégante, en pierres de taille, et destinés à la distribution des eaux d'Arcueil. Le troisième, tout extérieur, a été inauguré le 15 août 1811; il sert d'embellissement au boulevard Saint-Martin : il est composé de trois bassins dont les eaux débordent de l'un dans l'autre; son centre supporte une double coupe en fonte d'où l'eau jaillit et retombe dans le bassin supérieur; il s'en échappe aussi de la gueule de huit lions placés, deux à deux, sur quatre piédestaux qui débordent symétriquement chacune des faces de ce même bassin. Ce décor gracieux et animé, en flattant agréablement la vue, répand, en été, sur toute cette partie de la promenade, une fraîcheur délicieuse. Il est seulement fâcheux qu'un exhaussement de terrain, exécuté depuis peu, en mettant le sol presqu'au niveau de la gorge du bassin, expose les enfans le jour, et la nuit les passans, à tomber dans cet abime ouvert sous leurs pas.

Il s'établit, en outre, presque journellement à Paris, des bornes fontaines, qui, à de certaines heures, versent de l'eau destinée à entretenir la propreté dans les rues : il ne s'agit plus que d'en profiter.

l'ordre de hâter le pas de ses coursiers, et l'on arriva bientôt rue Saint-Hyacinthe-Saint-Michel, à la porte d'un modeste garni, dans lequel un ami avait pris le soin de retenir pour la famille un logement convenable. Ce quartier retiré avait été choisi afin d'éloigner du bruit la malade, et de ménager, pour elle, la promenade salutaire du Luxembourg, et, pour son mari, le voisinage si intéressant de la bibliothèque de Sainte-Geneviève.

Madame de Mériadec fut agréablement surprise en trouvant dans son appartement de louage tous les objets d'utilité désirables. Les prévenances de l'hôtesse empressée contrastaient de la manière la plus frappante avec la brusquerie, l'air rechigné et les exactions des aubergistes de la route.

CHAPITRE V.

Préliminaires du Voyage. — Enfin, les voilà partis.

Il fallait donner quelques jours au repos. Le premier soin de M. de Mériadec fut de se présenter chez l'un des plus célèbres médecins de la faculté. Le docteur, sûr d'être bien payé, vint visiter la malade; assura qu'elle ne courait aucun danger, si elle se conformait exactement à ses ordonnances; indiqua un régime et un traitement particuliers, et lui recommanda surtout de prendre beaucoup de distractions.

Lorsque la sécurité eût succédé aux alarmes qu'avait causées la santé de M.me de Mériadec, elle fut la première à solliciter son mari de commencer avec son fils les excursions projetées ; elle engageait Caroline à y prendre part ; mais cette jeune personne, persistant dans la louable résolution que lui avait dictée son amour pour sa mère, voulut à toute force garder le logis avec elle, et se contenta de rappeler à Jules sa promesse d'être exact dans le compte qu'à son retour il rendrait de ses voyages de la journée.

« A propos, dit M. de Mériadec à son fils, qu'as-tu fait des notes que tu avais prises le jour de notre arrivée ? — Je les ai mises en ordre, papa, et transcrites ensuite sur les premières pages d'un gros cahier que j'ai intitulé, comme je crois vous l'avoir dit dans la voiture même : LES TABLETTES DE JULES ; elles n'attendent, pour se compléter petit-à-petit, que le résultat de nos courses dans la Capitale. — Ainsi, décidément, dit M.me de Mériadec, tu te fais auteur? — Narrateur, maman! je n'écris que ce que l'on m'a dit, ou ce que j'ai vu. — Je serais bien curieux, monsieur le narrateur, de savoir comment vous vous êtes tiré d'affaires. — Oh papa! dispensez-moi.... jamais je n'oserai.... — Je te croyais l'intention de publier tes *Voyages?* — Il est certain que...., si je pouvais me flatter.... — Tu veux affronter le grand jour de la publicité, et tu crains de montrer ton ouvrage à ton père, à ta mère, à ta sœur? — Oh! c'est bien différent! je ne serai pas là quand on me lira tout imprimé. — Si tu n'y es pas en personne, ton nom y figurera en toutes lettres; il retentira dans toute la France, proclamé par la voie des journaux qui te feront la part de critique ou d'éloges que tu auras méritée. — Vous croyez, papa? — Rien n'est plus certain. Celui qui publie un livre s'expose à toute la censure des journalistes, juges nés des productions littéraires. — Oh bien! s'il est ainsi, je renonce à me faire imprimer. — Songe donc, mon frère, que c'est renoncer à la gloire. — Cette gloire là, ma sœur, pourrait bien n'être que de la fumée, et la honte du mauvais succès, une triste réalité. — Allons ! pour un mot le voilà découragé. Crois-moi, va chercher ton petit travail ; je ne te promets pas toute l'indulgence d'un père, mais je serai moins sévère qu'un étranger, et, la main sur la conscience, je te dirai si tu peux risquer la publication. — Vous le voulez, papa? je vais vous rapporter ma copie ; mais, je vous en prie, ne vous en moquez pas trop en la lisant. — Tu n'y es point : c'est toi-même qui vas nous en faire la lecture ; tous tant que nous sommes, nous t'écouterons dans un profond silence et avec le plus vif intérêt. Vas, mon ami, et reprends un peu d'assurance ; trop de timidité dans un auteur ne serait pas moins blamable qu'une excessive confiance dans son propre talent. »

Jules obéit : quand il revint, son auditoire était disposé autour d'une table où lui avait été réservée la place d'honneur. Sur le milieu du tapis était placé un cabaret supportant un sucrier, une carafe pleine d'eau limpide, un verre et une cuiller d'argent; à côté un encrier garni de tous ses accessoires. Ces apprêts firent sourire le jeune auteur; il tenait un assez gros cahier lié d'une faveur rose; il le déploya lentement, s'assit sur un signe de son père, aprés avoir salué la compagnie, et, rouge jusques aux oreilles, commença sa lecture d'une voix tremblante. Peu-à-peu, cependant, son organe se raffermit, son débit s'anima, et il arriva sans encombre à la fin de son introduction.

« C'est moins mal que je ne le craignais, dit alors M. de Mériadec. Il s'en faut cependant que ce soit tout-à-fait bien; mais cela a le mérite de l'exactitude, celui de la précision, c'est le principal; et je crois qu'en revoyant un peu le style, nous en ferons quelque chose de passable. C'est un travail que celui de tout voir dans Paris. Il faudra, seulement une ou deux fois par semaine, y consacrer une belle journée toute entière, prendre, comme tu l'as fait déjà, tes notes, et ne nous remettre en route que lorsque tu auras employé la journée du lendemain, celle du surlendemain, toutes celles qui te seront nécessaires pour ta rédaction définitive, dont tu nous donneras encore lecture, en petit comité, avant d'entamer une nouvelle exploration. Ainsi ton petit ouvrage se trouvera fait sans lacune, et divisé tout naturellement par chapitres, ou par journées, si tu le préfères. — Papa, ce sera donc demain notre première journée? — Demain, si cela te fait plaisir et surtout s'il fait beau, car le beau tems est une clause de rigueur quand il s'agit de courses dans Paris. »

Le lendemain, Jules était habillé avant le lever du soleil; il mettait en ordre tous ses petits ustensiles, ajoutait quelques feuilles de papier blanc à ses tablettes, taillait son crayon, essayait ses plumes, ouvrait toutes les parties de sa petite écritoire de poche, pour la garnir d'encre, de pains à cacheter, de poussière dorée, et, s'interrompant, de tems à autre, allait écouter à la porte de son papa, que sans le vouloir il accusait intérieurement de paresse. Enfin le bruit d'un fauteuil qu'il entendit pousser dans la chambre lui donna la hardiesse de frapper deux ou trois coups presque imperceptibles : « Qui est là, dit M. de Mériadec ? — C'est moi, papa. — Toi ! Jules ? — Oui, papa. Je vous croyais levé ? — Je le suis aussi. — Êtes-vous visible ? — Je m'habille. Attends, je vais t'ouvrir. — Oh ! oui papa, ouvrez-moi, je vous en prie. — Comment ? déjà prêt ! — Il y a beau jour, vraiment ! Nous partirons quand il vous plaira. — Oh ! je ne le suis point moi. J'ai ma barbe à faire, ta mère et ta sœur à embrasser..... ; et le déjeûner donc, qu'il faut prendre avec elles, comme de coutume. — Ah ! papa ! que de choses ! Mais nous serons encore ici à dix heures ! — Eh bien ! crois-tu qu'il ne nous restera pas assez de tems pour te fatiguer les jambes. Selon la direction que nous suivrons, il est possible que nous ne rentrions pas dîner ; et, du matin au soir, aurais-tu la force de supporter un pareil exercice ? — Si nous nous trouvions las, nous aurions la ressource d'un *Fiacre*, cette voiture de louage, un peu rude, mais si commode pour les gens qui n'ont point équipage ? — Rayes cela de tes papiers, mon cher Jules. Un voyage tel que le notre doit se faire consciencieusement : quoique tu ne te proposes pas de décrire Paris, rue par rue, il est bon que tu voyes tout en détail, et ce n'est guères en voiture que l'on peut faire attention aux endroits où l'on passe. Nous voyageons donc à pied, et il me semble qu'en sortant à midi, par exemple..... — A midi !! nous aurons perdu toute la plus belle moitié du jour. — Eh bien ! puisque tu es si pressé, dès que ta maman sera levée, nous prierons Caroline de s'occuper bien vite de son chocolat, et après avoir déjeûné en famille, nous nous mettrons en route. — Oui, papa. Mais ce sera bien tard encore. »

De ce moment, Jules laissa son père un peu plus tranquille; mais sitôt qu'il entendit du mouvement dans l'appartement des dames, il demanda d'y être introduit, et, après s'être informé de la santé de sa maman, qui, ce jour-là, était assez bonne, il la supplia néanmoins de permettre qu'on lui servît son chocolat dans le lit, auprès duquel serait placée la table du déjeûner. De là il courut à sa sœur lui proposer de l'aider dans les préparatifs. Ni l'une ni l'autre ne concevaient rien à des attentions si marquées, auxquelles, il faut bien le dire, Jules ne les avait guères habituées jusques-là. Force lui fut de s'expliquer sur ses motifs, qui firent sourire la mère et attirèrent sur lui force railleries de la part de l'espiègle Caroline. Cependant M.me de Mériadec eut la complaisance de hâter un peu sa toilette du matin et de surveiller le déjeûner qui se trouva prêt de la sorte, plutôt même que l'impatient Jules n'avait osé l'espérer.

Le premier repas de notre jeune Voyageur fut bientôt expédié. Mais son père, fidèle aux préceptes de patience qu'il lui avait donnés en arrivant à Paris, savoura tranquillement son chocolat et ne fit pas grâce à son fils, même du verre d'eau que les gourmets font succéder à cet aliment. Il se leva ensuite, embrassa affectueusement sa femme et sa fille, fit en souriant signe à Jules de l'imiter, et descendit lentement l'escalier que les jambes de 14 ans franchissaient quatre à quatre. Nous verrons dans le chapitre suivant de quel côté se dirigèrent leurs pas.

PALAIS DU LUXEMBOURG, CÔTÉ DU JARDIN.

Commencé en 1615 par Marie de Médicis, **le Luxembourg** *fut restauré de 1795 à 1805. C'est le siège de la Chambre des Pairs.*

le Palais des Beaux-Arts *fut fondé en 1661 par le Cardinal Mazarin. C'est le siège de l'Institut Royal de France.*

PALAIS DES BEAUX ARTS.

CHAPITRE VI.

Premier Voyage. — La rue de Vaugirard. — L'Odéon. — Le Palais du Luxembourg. — Les Tableaux. — Le Jardin. — Le Marché Saint-Germain. — Le Musée des Monumens français. — Restaurans. — Agens de Police. — Salons littéraires.

M. DE MÉRIADEC avait promis de rentrer le soir à huit heures précises; il tint parole. Jules devait être accablé de lassitude, après une promenade qui avait duré dix heures consécutives; cependant, lorsqu'il eut embrassé sa mère et sa sœur, il se retira dans sa chambre, non pour se mettre au lit bien vîte, ainsi qu'on pourrait le croire, mais afin de commencer la transcription de ses notes. Son père, qui vint lui-même le chercher pour la collation du soir, eut beaucoup de peine à lui faire quitter son travail, et fut obligé d'interposer son autorité pour l'empêcher de s'y remettre ensuite. Mais le lendemain, au point du jour, il reprit la plume, ne l'abandonna un moment que pour le déjeûner, puis, quand il revint se mettre à table à l'heure du dîner, il annonça, d'un air triomphant, que si l'on était disposé à l'entendre, il était, pour lui, tout prêt à lire le récit du voyage de la veille. Cette déclaration fut accueillie différemment par les trois personnes à qui elle s'adressait. M.me de Mériadec laissa entrevoir la crainte que l'ouvrage ne se ressentît de tant de précipitation, tandis que son mari déclarait impossible qu'il en fût autrement, et que Caroline, sautant au cou de son frère, l'accablait de félicitations et de caresses. Quant à Jules, son parti était pris, il ne s'émut pas plus de l'enthousiasme de l'une qu'il ne fut rebuté par les observations décourageantes des autres. Il mangea de bon appétit, puis, quand il eut vu apporter le dessert, il déploya son manuscrit et en commença la lecture d'une voix assurée.

Une séance du même genre eut lieu à la suite de chacune des excursions qu'il fit dans Paris avec son père. Nous ne reviendrons donc point sur des détails qui amèneraient trop de répétitions, et laissant notre jeune voyageur raconter à sa manière ce qu'il aura vu, nous ne donnerons pas à son récit d'autre division que celle des journées plus ou moins rapprochées, que son père et lui ont consacrées à leur itinéraire.

La rue Saint-Hyacinthe, où est situé l'hôtel garni que nous habitons, coupe transversalement une partie du sommet d'une montagne qui domine tout le reste de la ville. Nous descendîmes notre rue à droite et nous nous trouvâmes presqu'aussitôt sur la place Saint-Michel qui n'a rien de remarquable. « Par où veux-tu commencer, me dit mon père. — Cela m'est indifférent, lui répondis-je ; tout ce que je demande est de voir Paris, ou du moins quelques-uns de ses monumens le plutôt possible, et comme nous avons le projet de les visiter tous, peu m'importe lequel s'offrira le premier à mes regards. — Eh bien ! ne nous éloignons point de ce quartier, il en offrira de reste pour tout le jour à notre curiosité, sans nous donner la peine de les aller chercher si loin. »

En effet, nous eûmes à peine traversé la place et fait quelques pas dans la rue des Francs-Bourgeois, qui aboutit à son sommet, que nous entrâmes dans celle de *Vaugirard*, où papa m'avait promis ample matière à satisfaire ma curiosité. Ce n'est pas que la rue soit belle par elle-même : assez large vers l'endroit où nous l'abordions, bientôt elle devient étroite, sinueuse, et par places conserve en toute saison quelques traces de cette fange, qui, avant Jules-César, valut à la ville le nom de *Lutèce* (1) ; mais, semblable aux coquettes, elle nous séduisit d'abord par l'étalage de ses beautés, et ses défauts ne nous frappèrent que dans le cours d'un examen plus approfondi.

A son entrée à gauche, sur le mur de la maison n.º 9, (édifice d'ailleurs peu remarquable), on lit l'inscription suivante :

« Henri-Louis Lekain est mort dans cette maison, le 8 février 1778. »

Lekain était un acteur tragique du théâtre Français, dont Voltaire avait encouragé et admirait le talent.

Un peu plus loin, sur la droite, on remarque un vaste bâtiment, également isolé sur deux rues latérales qui aboutissent à celle de Vaugirard, et dont la façade, noble et simple à la fois, s'élève sur une place demi-circulaire, à laquelle on arrive par

(1) Du latin *Lutum*, boue : *Lutetia*.

sept aboutissans. C'est le théâtre de l'*Odéon*. Neuf marches y conduisent; le péristyle en est orné de huit colonnes d'ordre dorique. Trois portes donnent entrée dans son vestibule, dont le décor est d'ordre Toscan. Une galerie de 46 arcades règne autour, et forme, sur les côtés et à l'arrière face donnant rue de Vaugirard, une promenade couverte, garnie de petites boutiques; devant, elle n'est que figurée à l'extérieur, et fait partie du vestibule.

L'Odéon est au nombre des théâtres royaux; il fut intitulé quelques tems *Second Théâtre Français*, et partageait avec celui de la rue de Richelieu le privilége de donner l'ancien répertoire tragique et comique. Depuis plusieurs années ce privilége a été restreint à quelques tragédies et comédies anciennes; mais il a le droit, dont il *n'abuse* pas, d'en jouer de nouvelles, et il y peut joindre les opéras tombés dans le domaine public, c'est-à-dire, dont les auteurs (*français*) sont morts depuis le nombre d'années fixé par la loi, et des opéras-comiques traduits de l'allemand ou de l'italien, dont la musique ait été composée sur le texte original. Papa m'a promis de nous y mener tous quelque jour que l'on y donnera des chefs-d'œuvre de nos grands maîtres, tels que Racine, Corneille, Molière et autres classiques; malheureusement, c'est rare.

A cinquante pas au-dessous, de l'autre côté de la rue de Vaugirard, est le palais du Luxembourg, où siége maintenant la Chambre des Pairs. Il fait face à la superbe rue de Tournon, composée presqu'entière d'hôtels magnifiques, parmi lesquels on remarque celui de Nivernois, bâti par le fameux Concini, maréchal d'Ancre, dont il a déjà été parlé à l'occasion du Pont-Neuf. Ce favori de Marie de Médicis, mère de Louis XIII, fut tué devant le Louvre, le 24 août 1647, traîné par les pieds et brûlé sur le pont, aux acclamations d'une multitude furieuse, dont une partie s'était détachée pour aller piller sa demeure. De chaque côté de cette rue, un long cordon de bornes liées de distance en distance par des barres de fer, laisse derrière elle un espace assez grand pour mettre les piétons à l'abri des nombreuses voitures qui en brûlent le pavé, surtout les jours de séances. Le Luxembourg, que, par un assemblage assez bizarre de mots, on appelle aujourd'hui PALAIS DE LA CHAMBRE DES PAIRS, fut commencé en 1615 par la reine dont nous venons de parler, à l'imitation du palais *Patti* de Florence; il fut achevé en six années, sous la direction de Jean Desbrosses, fameux architecte. Sa construction est d'un caractère mâle; on admire la beauté et la régularité de ses proportions. Sa façade forme une terrasse ornée de balustres, au milieu de laquelle est un pavillon composé des ordres Toscan et Dorique l'un sur l'autre, entouré de statues et surmonté d'un magnifique dôme.

Avant la révolution, ce palais avait été donné, par le roi Louis XVI, à son frère le comte de Provence, depuis roi lui-même sous le nom de Louis XVIII, et dont la Charte est l'immortel ouvrage. Dans l'intervalle, ses bâtimens changèrent bien des fois de destination. Pendant les affreuses journées de la terreur, le Luxembourg se vit transformé en une odieuse prison, d'où les malheureux qui l'encombraient ne sortaient que pour monter à l'échafaud. Le gouvernement, connu sous le nom de Directoire, vint ensuite occuper ce palais, qui, sous l'Empire, fut celui du Directoire, et enfin celui de la Chambre des Pairs, depuis la restauration.

Il existe au Luxembourg une magnifique galerie de chefs-d'œuvre des grands peintres, parmi lesquels on remarque de superbes plafonds, une longue suite de tableaux représentant la naissance, l'éducation, la destinée de Marie de Médicis, épouse de Henri IV, son mariage, les divers événemens de sa régence, etc., etc; tous sujets traités par Rubens, d'après les ordres de la princesse elle-même; l'histoire de Saint-Bruno, fondateur des Chartreux, peinte par Lesueur, sous les auspices de la même reine, pour le monastère de cet ordre qui existait autrefois dans le voisinage du palais; et des peintures très-remarquables d'artistes dont quelques-uns vivent encore; on y voit aussi un grand nombre de bas-reliefs et de statues, dont une partie décore le jardin.

Les bâtimens se divisent en grand et petit Luxembourg; ce dernier est comme un palais à part. Bâti par le cardinal de Richelieu pour la duchesse d'Aiguillon, il servit d'habitation à Bonaparte, quand il se fit élire premier consul; mais bientôt le futur empereur quitta cette modeste résidence pour aller occuper le palais des Tuileries.

Le jardin, agrandi par la jonction du terrain sur lequel s'élevait autrefois le couvent des Chartreux, se prolonge jusqu'aux Boulevards neufs, et laisse à découvert l'Observatoire en perspective. Le public n'a la jouissance que de la large et longue avenue qui y conduit ; les deux côtés, cultivés avec soin, forment une vaste pépinière.

On reconnaît facilement à la force des arbres ce qui composait l'ancien jardin du Luxembourg ; cette partie est divisée en allées spacieuses, où l'on peut goûter à l'abri les plaisirs d'une promenade charmante. Au centre, un beau parterre garni des fleurs de la saison, exhale le parfum des plus douces odeurs ; tandis que le bassin qu'il entoure, répand dans le voisinage une fraîcheur délicieuse ; des vases, des statues symétriquement placés complètent l'ornement de ce jardin, que son éloignement du centre de la Capitale rend néanmoins peu fréquenté. On y voit quelques petits-maîtres, quelques femmes élégantes, beaucoup d'étudians qui viennent y méditer sur leurs leçons, des gens graves, des vieillards et surtout des bonnes chargées d'y conduire des enfans, qui peuvent, sans aucun danger, s'y livrer à un salutaire exercice. Nous y avons remarqué une superbe fontaine adossée au mur voisin de la rue d'Enfer. Les sculptures en sont magnifiques ; mais elle est mal entretenue, et les enfans, avec les pierres qu'ils y jettent, y font de continuelles dégradations.

Le jardin du Luxembourg a cinq issues ; une sur la rue d'Enfer, conduisant à l'entrée du faubourg Saint-Jacques, (il en existait jadis une autre même rue, au travers des bâtimens qui ont dépendu du couvent des Chartreux ; elle a depuis quelques années cessé d'être publique) ; une à l'extrémité de l'avenue qui débouche près de l'Observatoire ; une, rue de l'Ouest, percée sur le terrain d'anciens marais ; une sur la rue de Madame, et près de laquelle a été bâti le spectacle forain du Luxembourg, dit vulgairement de *Bobino*, du nom de guerre d'un pauvre diable qui fait le paillasse dans les parades grossières, au moyen desquelles on cherche à amener le public dans la salle ; et deux sur la rue de Vaugirard, l'une en face de l'Odéon, l'autre vis-à-vis la rue Potde-Fer. C'est par celle-ci que nous sortîmes après avoir fait tout le tour du jardin.

Au bout de cette rue est située Saint-Sulpice, l'une des plus fortes paroisses de la Capitale. La reine Anne d'Autriche en posa la première pierre le 20 février 1646; mais l'église, telle à peu près qu'on la voit aujourd'hui à l'intérieur, ne fut terminée qu'en 1733, sous le règne de Louis XV. Le portail était, dans l'origine, étroitement resserré entre de maussades constructions, que l'on a depuis fait disparaître. On y arrive maintenant par une place grande et à peu près régulière, au milieu de laquelle il ne manque plus qu'une fontaine en harmonie avec les beautés de l'édifice. Celle que l'on avait construite en dégageant la place était, quoique jolie, trop colifichet pour un semblable espace. On l'a transportée à peu de distance dans le marché Saint-Germain, où nous allons la retrouver.

Ce marché a été construit de 1813 à 1818, sur l'emplacement de la foire Saint-

Germain, ignoble assemblage de masures, où se tenait, à une certaine époque de l'année, une foire, pendant laquelle les entrepreneurs de spectacles du second ordre étaient tenus d'y venir donner leurs représentations dans des salles enfumées (1). C'est un *Quadrilatère*, (bâtiment à quatre côtés), élévé tout en pierres de taille, et percé sur quatre faces, (à l'intérieur et à l'extérieur), d'immenses croisées en forme d'arcades que ferment des persiennes; des grilles y tiennent lieu de portes, de sorte que, jour et nuit, l'air s'y renouvelle sans cesse. Sous ces vastes galeries, acheteurs, vendeurs et marchandises sont également à l'abri de l'intempérie des saisons. Là, se vendent le poisson, les légumes, le beurre, les œufs, la volaille,

(1) A une autre époque de l'année, ces mêmes entrepreneurs étaient obligé de transporter tout leur bagage dans le faubourg Saint-Denis, à la foire Saint-Laurent, qui fut un beau jour incendiée presque tout entière, ainsi qu'on devait s'y attendre de la part de constructions où la charpente jouait le plus grand rôle.

les comestibles de toute espèce, à l'exception des viandes de boucherie, pour lesquelles ont été construits de beaux étals ou comptoirs, dans un bâtiment séparé, de l'autre côté de l'une des rues sur lesquelles donne le marché. Le centre du grand édifice est à découvert; des marchands d'étoffes et de divers ustensiles de ménage y occupent des échoppes assez proprement tenues. Au milieu est la fontaine dont nous parlions tout-à-l'heure; elle a la forme d'un tombeau antique, décoré de quatre bas-reliefs représentant la Paix, l'Agriculture, le Commerce et les Arts. C'est un véritable bijou que cette fontaine, qui, comme on le voit, était trop mignonne pour rester dans le voisinage d'un monument d'un style sévère, tel que Saint-Sulpice, et n'est guères mieux assortie à la destination de celui qui maintenant lui donne asile.

« La propreté, l'ordre et la salubrité qui règnent dans ce marché, me dit mon père, sont assurément dignes de fixer l'attention d'un observateur, et pourraient, à la rigueur, donner une idée suffisante de ce que sont les autres marchés de la Capitale; mais puisqu'il s'agit de recueillir des renseignemens exacts sur tout ce qu'elle renferme de beau et d'utile, nous consacrerons très-prochainement la matinée d'un mercredi ou d'un samedi, jours où l'affluence des marchands est plus considérable, où les transactions sont plus animées, à la visite de la halle proprement dite, de ce Bazar universel de comestibles où abondent les provisions de bouche en tout genre; et à celle des principaux marchés qui se tiennent dans son voisinage. Aujourd'hui, mon ami, si tu ne te sens pas trop fatigué, nous allons nous rendre au *Musée des Monumens Français*, érigé à force de soins et de persévérance, pendant les jours orageux de la révolution, par M. Augustin Lenoir, qui en fut nommé *Conservateur*. Il aura doublement mérité ce titre, car, sans le zèle de cet ami des beaux-arts, la plus grande partie de ces monumens si précieux aurait été anéantie par d'ignobles Vandales, dans les jours orageux de la révolution.

Ce *Musée*, où, comme vous le pensez bien, je suivis mon père avec le plus vif empressement, est situé rue des Petits-Augustins; de grandes cours, des salles distribuées avec un goût remarquable, renferment une foule de monumens de sculpture et d'architecture, qui peuvent donner une idée exacte des progrès qu'ont fait les arts sous les différens règnes qui se sont succédés. Des mausolées, des statues, des bas-reliefs y offrent une ample moisson à la curiosité. Chaque salle comprend les ouvrages conservés d'un même siècle. On y voit la salle du XIII.e siècle, celle du XIV.e et ainsi de suite. Ces salles sont bâties des débris d'anciens monumens, et rappellent dans leur décoration les couleurs employées autrefois pour les constructions, selon l'époque à laquelle la salle est consacrée. C'est une sorte d'histoire de France en relief;

c'est en même tems l'histoire des arts eux-mêmes.

A l'entrée de la première cour s'élève un portail magnifique, composé des trois ordres grecs et orné de bas-reliefs de la plus grande beauté, exécutés par le célèbre Jean Goujon. Il faisait partie du superbe château d'Anet, que Henri II fit bâtir sur les bords de l'Eure, pour la belle Diane de Poitiers. Il fut transporté à Paris avec deux autres portiques qui complètent le bel ensemble de la cour.

La salle d'introduction semble servir de préface au grand œuvre qui a pour but le classement progressif des monumens français. Là, déjà, d'un seul coup d'œil, l'amateur peut suivre les progrés de la sculpture française, depuis la fondation de la monarchie jusqu'à nos jours. Les ornemens les plus antiques de cette salle sont quatre autels Gaulois, découverts en 1711, dans les caves de Notre-Dame, en la Cité. Jupiter, Mars, Vulcain, Mercure et Vénus y sont sculptés en relief, à la manière antique. L'un de ces autels porte une inscription latine, qui fait connaître que c'est un hommage public rendu à Tibère, par les mariniers de Paris.

Ces statues de quelques divinités du paganisme attestent que, dans le siècle où vivait l'artiste, la France n'était pas encore chrétienne. Celles de Clovis et de la reine Clotilde, sculptées à la manière du tems, décoraient le portail d'une ancienne église de Corbeil, petite ville à quelques lieues de Paris, en remontant la Seine. Plus loin, vous voyez la tombe qui couvrit l'exécrable Frédégonde; un peu au-delà, un mausolée dont l'aspect réveille des souvenirs moins affligeans, celui de Diane de Poitiers.....

Mais je ne tarirais pas si j'entreprenais de décrire tant d'antiquités précieuses rassemblées dans cette enceinte par une main habile; d'ailleurs, il faut le dire, au grand regret des arts, chaque jour voit enlever du Musée des Petits-Augustins quelque monument que l'on trouve convenable de restituer à l'édifice dont il fit autrefois partie. Malgré cela il y en reste encore un bon nombre, et quelques heures consacrées à leur examen ne sauraient être mieux employées.

Tant que nous étions restés dans ce magnifique établissement, mon attention captivée par tout ce qui s'offrait à mes regards, ne m'avait pas permis de songer à l'heure qu'il pouvait être, ni au tems qui s'était écoulé depuis que nous avions pris notre tasse de chocolat. A peine eûmes-nous le pied dans la rue, que mon estomac se fit entendre impérieusement. « Papa, que j'ai faim, m'écriai-je. — Tant pis, dit-il, car nous ne sommes pas près de notre hôtel. — Oh ! mais j'ai vu sur notre route des boulangers, des pâtissiers, et si vous avez la bonté de me le permettre, j'achèterai un petit pain, une brioche, quoique ce soit, enfin, pour apaiser un peu cette faim dévorante, jusqu'à ce que nous ayons regagné le logis. — Ainsi tu renoncerais à en voir aujourd'hui davantage — C'est pour vous, papa, qui êtes habitué à des repas réglés, car, après avoir pris quelque aliment, j'irais bien jusqu'à ce soir, comme nous en étions d'abord convenus. — Rien ne nous empêche d'entrer chez un restaurateur, où nous dînerons aussi régulièrement que chez nous, et d'où nous pourrons, après ce repas, nous remettre en route. Aussi-bien sera-ce un sujet de plus à mettre sur tes Tablettes. Le veux-tu ? — De tout mon cœur, papa. — Entrons donc ici, voilà justement ce qu'il nous faut. »

Nous sommes, en effet, entrés dans une fort belle salle, dont les murs étaient décorés de peintures représentant des châteaux, des chaumières, des champs, des bois, un fleuve, le tout animé par des personnages analogues. Il régnait tout autour un cordon de petites tables pressées les unes contre les autres, couvertes à l'avance de linge bien blanc, et garnies seulement d'une carafe pleine d'une eau limpide, autour de laquelle étaient rangés trois ou quatre verres. Nous nous plaçâmes à l'une de ces tables. Un jeune homme, ceint d'un tablier également blanc, et portant sous le bras une serviette blanche, nous apporta deux assiettes et un couvert d'argent à chacun; puis il remit à papa une grande pancarte imprimée, (c'est ce que l'on appelle tout simplement la carte), sur laquelle je vis avec surprise les noms de plus de quinze sortes de potages et d'une soixantaine de mets; noms qui, pour la plupart, étaient assez bizarres. Au bout de chaque article se trouvait énoncé, hors ligne, le prix qu'il faudrait le payer, et ce prix, pour les plus chers, n'excédait jamais 50 cent. ou 10 sous. Nous avons pris chacun un potage et successivement cinq à six plats, sur le choix desquels papa m'a bien voulu consulter; et quand nous nous sommes présentés au comptoir, avant de sortir, la dame qui le tient nous a présenté, avec une grâce charmante, une petite liste que l'on appelle la *carte payante*, (pour parler français, il faudrait dire payable ou à payer); le total, y compris un petit appoint que papa a laissé au garçon à titre de *pour-boire*, n'a guères coûté que 3 fr. 12 sous. Or nous avions fait un repas très-agréable, tant par la quantité que pour la délicatesse des mets, et nous avions à nous deux bu une demi-bouteille de bon vin. J'ai remarqué que l'on plaçait sur la table des personnes qui venaient manger seules, une toute petite bouteille de ce même vin, (que l'on appelle un carafon), ou une demi-bouteille de bierre.

Pendant que nous étions à table, il est survenu un incident que nos voisins nous ont dit être assez commun dans les établissemens de ce genre. Nous étions plus de 50 personnes dispersées dans la salle; un homme bien vêtu, qui se trouvait seul à la table parallèle à la nôtre, après avoir, en un tour de main, expédié son potage, s'était fait servir deux plats du moindre prix qu'il avait promptement envoyés lui tenir compagnie ; tous ses gestes et jusqu'au moindre de ses mouvemens étaient si hâtifs, que l'on pouvait aisément le croire talonné par les affaires les plus urgentes. Lorsqu'il eut achevé de manger, il saisit un moment où les garçons de salle paraissaient tous occupés de leur service, courut au comptoir, jeta dessus le prix de sa modique consommation, et s'élança dehors avec la légèreté du faon poursuivi par le chasseur. Mais sa précipitation même le trahit : il tenait encore le bouton de la porte, quand le garçon qui l'avait servi, s'étant rapproché de la place qu'il venait de quitter, pour enlever son couvert, se mit à crier : « arrêtez ! arrêtez ! » Une personne qui se présentait pour entrer fut presque renversée par l'élan que prit celle qui sortait ; celle-ci pourtant n'alla pas loin. Le cri : « arrêtez ! » volait de bouche en bouche : le gaillard s'éloignait à toutes jambes ; mais il y a tant de monde dans les rues de Paris ;

tant de gens se mirent à sa poursuite, qu'il fut atteint et ramené dans la boutique. Là, le garçon déclara que cet individu avait substitué un couvert de composition à celui d'argent qu'on avait mis devant lui; il fut fouillé : l'on ne trouvait rien dans sa poche; déjà les uns disaient qu'il était affreux d'accuser sans preuves, les autres qu'il fallait le dépouiller jusqu'à la chemise; lui, protestait contre de pareils actes de violence, quand, au milieu de tout ce mouvement, son chapeau tomba par terre, et l'on entendit résonner le couvert d'argent qu'il y avait caché. Il voulut soutenir que ce couvert lui appartenait; mais le chiffre du traiteur était gravé sur les manches de la cuiller et de la fourchette.... Alors il se jeta à genoux, protesta que son action était le résultat d'une profonde misère, et, du ton le plus soumis, demanda qu'on lui permît de s'éloigner. Les assistans étaient assez de cet avis, moyennant qu'il reçut une bonne correction. La dame presqu'attendrie intercédait pour qu'on le laissât aller sain et sauf, quand un personnage qui jusques-là ne s'était mêlé de rien, quitta la table où il dînait avec deux autres, et s'approchant du comptoir, dit quelques mots à l'oreille de celle qui le tenait; puis voyant qu'elle lui faisait encore des observations, tira de son gousset une médaille, qu'il portait comme une montre, suspendue à son col par un ruban, et la lui présenta d'un air d'autorité : « C'est un *Mouchard*, murmura-t-on dans toute la salle. » Et presque tout le monde quittant la partie, alla se remettre à table.

Cependant le mouchard toisait le voleur des pieds à la tête. « Y a-t-il long-tems, lui dit-il, que tu fais *l'article*? — Monsieur, je vous jure que c'est la première fois..... — D'aujourd'hui sans doute ; car, à la voix, j'achève de te reconnaître. Tu étais *au bagne* en 1826. — J'étais.... — Je te dis que j'en suis sûr. — Au surplus je n'y étais pas seul, *Félix* : nous étions accouplés *à la même chaîne !!* »

Le second interlocuteur n'en écouta pas davantage. A un signe qu'il fit, ses deux convives accoururent. Le coupable fut saisi, et, malgré sa résistance, entraîné chez le plus prochain commissaire de police.

Je trouvais la rencontre des plus singulières. Quel était le but de cet *accouplement* dont venait de parler l'homme arrêté? Quel pouvait être le genre de cet atelier, appelé bagne, dans lequel *travaillaient*, à ce qu'il paraît, au même métier, ces deux hommes, dont aujourd'hui l'un se trouvait être un voleur et l'autre un mouchard? Quelles fonctions pouvaient être attachées à ce titre qui semblait donner à celui qui le portait, je ne sais quelle autorité sur son ci-devant confrère? Telles étaient les principales d'entre les questions qui se pressaient en foule sur mes lèvres, quand un monsieur qui mangeait seul à la table voisine, sourit, et s'adressant à mon père, lui dit : « Je vous crois, monsieur, assez instruit pour éclaircir les doutes qu'inspire à monsieur votre fils la scène bizarre dont le hasard nous a rendus témoins. Mais comme vous me paraissez étranger à la ville, voulez-vous me permettre de lui répondre à votre place ? »

Mon père ayant aussitôt consenti, l'étranger se tourna vers moi : « Un bagne, me dit-il, jeune homme, est le lieu où sont renfermés, après leur travail journalier, les individus que les tribunaux envoient dans nos ports expier leurs forfaits. Les deux misérables que vous venez de voir y ont été conduits par le crime, et la providence les y avait chargés des mêmes fers, comme elle les a fait rencontrer dans cette maison aujourd'hui, l'un pour y être puni de sa persistance dans un vice infâme, l'autre pour être le honteux instrument de la punition de son ancien compagnon d'infortune. Quant à la qualification de mouchard, c'est un mot usité dans le public pour exprimer un inspecteur ou agent de police, qui prend aussi le titre, (plus honorable que son métier), d'*Officier de paix*. Le peuple les appelle indifféremment *Mouchards* ou *Mouches*, parce que semblables à cet insecte ailé, ces sortes de gens s'introduisent partout. Il s'en trouve dans les spectacles, les promenades, les églises, en un mot dans tous les lieux publics, et quelquefois dans les réunions particulières, dans les sociétés les mieux composées. Les mouchards sont des hommes dégradés, que la police soudoie pour surveiller les gens qui pourraient tramer dans l'ombre quelque machination contre la sûreté publique ou individuelle. Leur mission est de tenir note exacte de tout ce qu'ils ont vu et entendu de suspect, et d'en rendre compte chaque jour. Vous m'allez demander comment il se fait qu'on les accueille dans le monde ? mais ils ne s'y présentent qu'*inco-*

gnito et sous toutes sortes de travestissemens. Lorsqu'ils sont obligés de se dévoiler pour quelque coup d'éclat, comme celui qui vient ici d'avoir lieu, le respect dû à la loi, dont ils se trouvent en ce moment l'organe, quoique vil, porte les honnêtes gens à ne les point troubler dans leurs ignobles fonctions. »

Papa, tout en remerciant l'inconnu de cette explication, exprima sa surprise de voir des fonctions de cette importance confiées à un misérable qui sortait des galères : « Eh ! monsieur, lui répondit l'étranger, quel homme honnête voudrait les accepter? Ceux de ce genre y sont d'autant plus propres qu'ils connaissent mieux les ruses des voleurs, et jusqu'à leur figure, ainsi que vous venez d'en être les témoins. D'ailleurs la police, quand elle se trouve loyalement administrée, ne leur accorde tout juste que le degré de confiance nécessaire pour tirer parti de leurs rapports. »

Nous avions fini notre repas, nous adressâmes de nouveaux remercîmens à notre obligeant voisin, et après avoir payé la dépense, nous nous proposions de continuer nos courses investigatrices, quand nous nous vîmes arrêtés par une ondée épouvantable, qui nous prit au détour de la deuxième ou troisième rue. Que faire dans cette fâcheuse position? Si nous eussions trouvé un fiacre, un cabriolet même, quoique l'on y soit assez mal quand il tombe de la pluie, nous nous serions fait ramener à la maison; mais il n'y en avait déjà plus sur les places voisines.

Nous nous jetâmes en toute hâte sous une porte d'allée, où nous étions en grande compagnie, et fort mal; car les vents y soufflant tour-à-tour de la cour et de la rue, nous couvraient tantôt d'une pluie froide, tantôt de la poussière des démolitions d'un escalier que l'on abattait derrière nous. Il fallait indispensablement déguerpir. Papa, au risque d'une plus complète immersion, avança la tête dans la rue, à droite, puis à gauche, et paraissant prendre tout-à-coup son parti, il m'entraîna jusqu'à la porte peu éloignée d'une boutique, devant laquelle pendait une lanterne, où figurait une inscription que je ne pus lire, à cause de la rapidité de notre course. Nous entrâmes, et papa, que j'imitai, s'assit de l'un des côtés d'une table de forme ovale très-alongée, garnie d'un tapis vert; on y voyait épars une grande quantité de journaux de toutes grandeurs et de brochures de toutes couleurs. Le long des murs regnaient des rayons garnis de livres brochés et reliés, parmi lesquels choisissait un jeune homme toujours prêt, au moindre signe, à les apporter à l'un des nombreux amateurs rangés en silence autour de la table.

« C'est donc ici, dis-je à mon père d'une voix basse, une bibliothèque publique? — Plus bas encore, me répondit-il! ici l'on n'ouvre la bouche que dans une nécessité indispensable. Les bibliothèques dont tu parles sont gratuites; celle-ci n'en est qu'un diminutif, et l'on y paie une rétribution modique pour avoir le droit de feuilleter les livres ou de parcourir les journaux qu'elle contient. Je vais lire quelques-uns de ces derniers, en attendant que la pluie cesse; demande pour toi le livre à ta portée que tu croiras le plus propre à t'amuser quelques instans. »

J'étais fort embarrassé dans mon choix; il me semblait pénible de donner des ordres à ce jeune homme un peu plus âgé que moi, et mes yeux se promenaient tantôt sur la table, tantôt sur les livres qui tapissaient la salle. Heureusement la maîtresse de la maison démêla la cause de mon inquiétude; quittant aussitôt son comptoir, elle vint à moi, de l'air le plus gracieux, et me demanda ce que je désirais. Je rougis, je pâlis et finis par lui avouer que je ne le savais pas moi-même; alors elle m'engagea à m'approcher des tablettes et à consulter les étiquettes des livres. Mais c'était tomber de mal en pis. D'immenses corps de bibliothèque régnaient au fond et sur les deux côtés du magasin. L'un de ces derniers était, du haut en bas, garni de romans décorés de titres plus pompeux les uns que les autres ; je ne m'arrêtai pas devant lui, ce genre de lecture ne convenant pas plus à mon goût qu'à mon âge. Mais le contenu des deux autres rendait pour moi le choix très-embarrassant. Ma main indécise se promenait d'un orateur à un poète, d'un auteur comique à un historien, de la narration d'un voyageur à une composition tragique. J'allais peut-être, dans mon incertitude, me rabattre sur quelque volume de *Berquin*, du *Magasin des Enfans* ou de *Robinson*, quand la dame vint encore à mon secours. « Si, me dit-elle, vous ne vous proposez pas de revenir journellement ici, je ne vous conseille point de prendre un ouvrage de longue haleine. Lisez quelque œuvre dramatique, ou mieux encore un de ces petits livres composés de Nouvelles destinées à former le cœur et l'esprit des jeunes gens. » Elle m'indiqua alors les rayons où se trouvait classé ce genre de littérature. L'ouvrage qui me tomba sous la main était intitulé : le *Jeune Maître d'Études*, ou l'Heure du Goûter (1) ; c'étaient des historiettes racontées pendant les vacances aux élèves d'un pensionnat, par l'un de leurs condisciples, qui par ses succès avait mérité de se voir, à cette époque, élevé au rang de Sous-Maître. Je le pris avec assez d'indifférence, et plutôt, je l'avoue, pour en considérer les gravures, d'ailleurs faiblement exécutées, que pour m'occuper sérieusement de l'ouvrage. Mais après en avoir parcouru quelques pages, il me sembla tout à la fois si instructif et si amusant, que je l'aurais, je pense, lu jusqu'à la dernière page, sans m'inquiéter

(1) Ce livre est aussi du fonds du sieur *Locard*, libraire, quai des Augustins, n.° 3; cet Éditeur en publie chaque année dans le même genre, et avec un soin particulier, dont lui savent gré les parens, les instituteurs, et surtout les jeunes gens de l'un et l'autre sexe.

du tems qu'il pouvait faire, ni songer à reprendre le cours de nos observations, si papa, qui avait, de son côté, épuisé la masse de journaux politiques et littéraires, dont la table était jonchée, ne m'eût averti que l'heure de rentrer approchait et que la pluie n'était plus assez forte pour nous empêcher de regagner notre demeure.

Je regrettais vivement ma lecture interrompue, précisément au passage le plus curieux; papa eut la bonté de prendre des arrangemens pour que je pusse emporter avec moi le bienheureux volume et l'achever à mon aise à l'hôtel; car ces sortes d'établissemens ne bornent pas leur spéculation à louer *sur place* leurs journaux et leurs livres; ils les font circuler dans la ville : seulement, celui qui use de la permission est obligé de consigner entre les mains du maître de la maison, ou de son représentant, une somme convenue, égale, à peu près, à la valeur de ce qu'on lui confie.

C'est donc là que s'est bornée notre première course ; j'ai rempli tant bien que mal la tâche que je m'étais imposée de vous en rendre compte ; peut-être parviendrai-je à m'en acquitter mieux à l'occasion de la seconde, que nous entreprendrons le jour que papa voudra bien indiquer.

CHAPITRE VII. (1)

Second Voyage. — La Sorbonne. — Colléges. — Termes de Julien. — Le Palais. — La Halle proprement dite. — Les divers Marchés de Paris. — Aventure.

Le but projeté de notre second voyage était l'exploration des Halles et Marchés de Paris, et surtout de ce que l'on appelle

(1) Selon notre promesse, et pour éviter des redites, nous ne nous amuserons pas, à chaque voyage de MM. de Mériadec père et fils, à décrire leurs préparatifs et à les suivre pas à pas; nous nous bornerons au récit que ce dernier en fait au bout de deux ou trois jours, en présence de toute la famille réunie pour l'entendre.

spécialement *la Halle;* magasin, chaque jour renouvelé, de comestibles, que bornent à l'orient la rue Saint-Denis, au sud la rue Saint-Honoré, au couchant celle de Grenelle (Saint-Honoré), et au nord la pointe Saint-Eustache, à laquelle aboutissent les rues Montmartre, Montorgueil et le cloître Sainte-Opportune.

Pour jouir du tableau animé de cette dernière, où abondent toutes les denrées qui se consomment dans Paris, il fallait choisir un des jours de grands marchés qui se tiennent les mercredi et samedi de chaque semaine, et surtout s'y rendre de très-bonne heure. Mercredi donc, jour qu'avait bien voulu fixer papa, j'entrai, tout habillé, dans sa chambre, au moment où j'entendis sonner quatre heures du matin, et m'avançant sur la pointe des pieds, je me dirigeai vers son lit, pour voir s'il dormait encore; mais, tout-à-coup, je me sentis frapper légèrement sur l'épaule : je me retournai, et vis derrière moi, en toilette, ce cher papa, que j'embrassai de tout mon cœur, en le remerciant de sa complaisance.

Nous voilà donc partis. Quelle différence de Paris, à cette heure, et Paris dans le cours de la journée ! Il n'y avait pas encore une seule voiture sur la place Saint-Michel, ordinairement si couverte de fiacres ; dans les rues toutes les boutiques étaient fermées, comme on le pense bien, à l'exception de celles de quelques épiciers et liquoristes matinals. Or, comme les marchands ne visent à la splendeur qu'au moment où ils peuvent compter sur la visite des chalands, les ais ou volets qu'ils appliquent le soir sur la devanture de leur magasin, se ressentent pour la plupart d'une stricte parcimonie : on n'a fait pour eux à l'extérieur aucun frais de peinture, et généralement ils présentent un aspect hideux. A peine rencontrâmes-nous d'abord, de loin à loin, un ouvrier se rendant à quelque atelier bien éloigné de sa demeure ; les rues ne s'animèrent que lorsque nous arrivâmes dans le voisinage de la halle ; mais, tout en nous y rendant, nous saisîmes, selon notre coutume, l'occasion de quelques remarques importantes.

En commençant à descendre la rue de la Harpe, je vis sur la droite une grande place de forme carrée, dans le fond de laquelle s'élève la façade d'un édifice religieux. « Il est fâcheux, dis-je à mon père, que l'heure nous appelle ailleurs ; nous aurions pu visiter ce monument qui est sans doute une église. Si vous le permettez, nous y entrerons au retour. — Il serait possible, me répondit papa, que nous prissions pour revenir un autre chemin ; aussi, connaissant d'ancienne date ce quartier, que j'ai habité dans le tems de mes études ; ayant suivi avec intérêt ce qu'ont dit les journaux de la restauration récente de ces bâtimens, je vais tout en cheminant satisfaire ta curiosité.

« Tu n'en peux d'ici découvrir qu'une partie, car, c'est non-seulement une église, mais encore un vaste Collége, une ancienne

Faculté dont le nom a retenti dans toute l'Europe. Qui n'a pas, en effet, entendu parler de la *Sorbonne*, où se traitaient jadis les plus graves questions de théologie? Elle fut fondée, sous le règne de Saint-Louis, par le chanoine Robert Sorbon, qui s'éleva, par son mérite, dit-on, aux fonctions de chapelain et de confesseur du Roi. Sous Louis XIII, le cardinal de Richelieu, son premier ministre, qui avait été bachelier, puis Principal en Sorbonne, crut trouver un moyen de plus d'immortaliser son nom, en faisant rebâtir de fond en comble ce collége; il posa, en 1635, la première pierre de l'église, qui ne fut achevée qu'en 1653, et lui fit présent d'un magnifique ciboire en or, surmonté d'une grande croix pectorale en brillans qu'il avait portée. Ce vase précieux, surtout par le travail, n'était exposé qu'une fois l'an aux regards des Parisiens, le jour de l'octave de la fête du Saint-Sacrement, à la procession et à la messe.

« En 1694, le tombeau du cardinal, ouvrage du célèbre sculpteur Bouchardon, fut placé au milieu du chœur (1). On y voit la statue de Richelieu en marbre blanc, à demi-couchée, et soutenue par la Religion tenant le livre qu'il composa pour la défendre. Auprès d'elle sont deux génies qui supportent l'écusson armoirié du cardinal. A l'extrémité opposée se tient la Science, déplorant la perte de celui qu'elle regardait comme son plus ferme appui.

« Le Czar Pierre le Grand étant venu en France en 1719, fut conduit à la Sorbonne ; en admirant le mausolée, il s'écria : « grand « homme ! que n'es-tu encore en vie ! je te « donnerais la moitié de mes états pour ap- « prendre de toi à gouverner l'autre. » Vœu bien digne d'un prince absolu ! car Richelieu, pendant son long ministère, tint la France asservie sous un joug de fer. Son inflexible rigueur ne connut jamais le bonheur de pardonner. Il fit tomber la tête du

(1) Il a été depuis transporté dans le côté droit de la croix.

duc de Montmorency, celles de Cinq-Mars, de Thou, Urbain Grandier, et tant d'autres victimes par lui vouées à une sanglante vengeance. Le plus grand de leurs crimes était une opposition trop ferme aux volontés du cardinal.

« La bibliothèque de la Sorbonne était autrefois l'une des plus considérables de la capitale. Le corps de ses docteurs décidait de l'admission ou du rejet des ouvrages nouvellement publiés. L'autorité de la Sorbonne est tombée avec l'ancien régime; et la liberté de la presse, conquête précieuse de la révolution, pendant laquelle bientôt elle avait dégénéré en une effroyable licence, a été définitivement consacrée par la Charte constitutionnelle, et renfermée, par les lois, dans de justes bornes.

« Une ordonnance royale ayant ordonné le rétablissement des cours de la Sorbonne, (ce qui ne veut pas dire la Sorbonne telle qu'elle était avant 1789); le collége et l'église, qui tombaient en ruines par suite d'un abandon d'un demi-siècle, viennent d'être restaurés en entier; c'est dans son enceinte que l'Académie de Paris, (ou l'Université Royale), fait la distribution des prix remportés au concours général, par les élèves des différens colléges de son ressort.

« Indépendamment du portail extérieur de l'église qui donne sur la place, ce monument religieux et scholaire a deux entrées principales un peu plus bas, à gauche, sur la rue qui, comme cette place, porte son nom. Il se compose de trois corps de bâtimens, dont les encoignures sont flanquées de quatre gros pavillons ouvrant sur une vaste cour de forme oblongue. L'église a sur la cour dont il s'agit un portail bien plus magnifique que l'autre; il est composé de dix colonnes : six de face et deux en retour de chaque côté; on y arrive par quinze degrés. Les armes du cardinal en décorent le fronton.

« Mais, continua mon père, je me suis aperçu qu'un peu au-dessous et à l'opposite de la place de Sorbonne, tu regardais avec attention une muraille neuve en rocailles et fort élevée, dont l'unique baie paraît condamnée. C'est le mur de clôture du collége Saint-Louis, fondé en 1280 par Raoul d'Harcourt, chanoine de Paris, dont il porta le nom jusqu'à la révolution. La chapelle et la principale porte, (un peu avant la muraille qui a fixé ton attention et presqu'en face de la Sorbonne), datent de 1765. On a ajouté aux anciens bâtimens, pour les rendre plus propres à la destination qu'ils ont reprise depuis quelques années, de vastes constructions en pierre de taille, qui comprennent les classes, les dortoirs, etc., et s'étendent derrière ce mur. Dans un autre moment, je te ferai connaître sommairement les différens colléges de Paris, et, comme nous touchons à la fin des Cours, je te conduirai à l'une des distributions de prix (1). »

(1) Notre bon père m'a déjà tenu la première partie de sa promesse, et ne tardera pas à s'acquitter de

J'apportais la plus grande attention à tout ce que mon père m'apprenait avec

la seconde. Voici la liste des Colléges royaux, avec un aperçu des attributions particulières à chacun de ces établissemens.

Deux sont consacrés au haut enseignement ; il s'y fait, à jours et heures dits, des cours publics sur les sciences physiques et mathématiques, l'histoire nationale et étrangère, les langues orientale et grecque, les littératures française et latine. Ce sont le *Collége de Sorbonne*, dont il vient d'être question, et le *Collége Royal de France*, situé place Cambray, au centre de ce que l'on appelle le pays Latin. Ce dernier fut commencé par Marie de Médicis, sur l'emplacement de l'ancien collége de Trégnier ; diverses causes s'opposèrent à son achèvement jusqu'en 1774, où Louis XVI en ordonna la reconstruction totale.

Sept autres portent généralement le nom de Colléges Royaux ; savoir :

Le collége de *Louis-le-Grand*, dans le haut de la rue Saint-Jacques. Fondé en 1560, cet établissement a subi dans sa distribution, comme dans son administration, de nombreux changemens : on l'a vu, collége dirigé par les Jésuites, retomber dans le domaine de l'Université ; fermer ensuite comme les autres à l'époque la plus désastreuse de la terreur ; puis rouvrir sous le nom de Lycée, et enfin reprendre à la restauration celui qu'il porte aujourd'hui.

tant de bonté. Cependant j'avais remarqué sur notre droite, un peu au-dessous du col-

Le collége de *Henri IV*, sur l'ancienne place de Sainte-Geneviève, devenue aujourd'hui la rue de Clovis. Il a été élevé sur l'emplacement de l'antique abbaye des Génovéfains, dont quelques bâtimens ont été conservés dans son enceinte ; la fondation de l'abbaye remontait au VI.e siècle et au règne de Clovis. De là le nom de la nouvelle rue.

Le collége *Bourbon*, rue Sainte-Croix, à la chaussée d'Antin. Cet édifice, de construction moderne, renferme toutes les commodités que l'on peut désirer dans un semblable établissement.

Le collége *Charlemagne*, fondé en 1802, dans l'ancienne maison professe des Jésuites, située rue Saint-Antoine, a son entrée par un étroit passage attenant à l'église Saint-Paul, qui était autrefois celle des révérends Pères. Les constructions, auxquelles il a été apporté peu de changement, se ressentent de leur ancienneté.

Le collége *Saint-Louis*, dont la courte description précède cette note.

Le collége de *Sainte-Barbe*, rue des Postes, entre les faubourgs Saint-Jacques et Saint-Marcel. La maison de Sainte-Barbe, dans le tems qu'elle était établie rue de Rheims, derrière les anciens colléges de Louis-le-Grand et du Plessis, a été, jusqu'à la révolution, l'une des institutions les plus célèbres de Paris.

lége de Saint-Louis, une enceinte de planches derrière laquelle sont encore debout les restes d'un édifice gothique, et, lorsque papa cessa de parler, je ne manquai pas d'exprimer ma curiosité au sujet de la cloison et des constructions mystérieuses qu'elle renferme.

Les *Barbistes* étaient renommés pour leurs triomphes classiques et la plus que frugalité de leurs repas. Pendant la révolution les élèves de la Sainte-Barbe d'alors faisaient leurs classes au collége du Plessis. L'établissement actuel porte le même nom, parce qu'il a été institué par M. l'abbé Nicolle, qui fut *principal* de l'ancien quelque tems avant l'interruption des études causée par les déplorables excès de 1793. C'est aujourd'hui un collége comme les autres, qui a son proviseur, son censeur, son économe, ses professeurs, ses surveillans, et sa cuisine organisée à peu près sur le même pied que partout ailleurs.

Enfin le collége *Stanislas*, rue Notre-Dame-des-Champs, entre le Luxembourg et le boulevard dit du Mont-Parnasse. Cette maison, d'abord établie sous la dénomination modeste d'*Institution Liautard*, est une sorte de séminaire, où sont particulièrement admis les jeunes gens qui se destinent à l'état ecclésiastique.

« C'est, me répondit-il, le seul monument de l'architecture des Romains, dont quelque partie subsiste encore dans Paris. Le *Palais des Thermes* (1) fut bâti, en 357, par ordre de l'empereur Julien, surnommé l'*Apostat.* Ce prince l'habita pendant son séjour dans les Gaules. Il était situé hors de la ville et servit de résidence à Clovis, à Childebert et à quelques rois des trois premières races, dont les prédécesseurs s'étaient tenus enfermés dans l'enceinte de Paris. Sous Louis-le-Jeune, cet édifice qu'on appelait alors le *Vieux Palais*, fut abandonné. On en vendit une partie, l'autre fut abattue, et des rues s'ouvrirent sur le terrain que les jardins occupaient. On les faisait en ce tems-là petites et étroites, si nous

(1) On appelait anciennement *Thermes*, les bâtimens destinés pour les bains ; ils faisaient ordinairement partie des Gymnases, (lieux d'exercices). Les dénominations grecques étant revenues à la mode à Paris, un établissement de *bains portatifs* y a pris le nom de *Thermophores*, qui a bien une autre consonnance que les deux mots français qu'il exprime.

en jugeons par celles du Foin-Saint-Jacques, Bouttebrie, de la Parcheminerie et autres qui subsistent encore. L'ancien hôtel de Cluny, situé rue des Mathurins, en face de celle de Sorbonne, était l'une des dépendances du palais des Thermes. L'hôtel subsiste encore avec quelques-unes de ses ogives et de ses antiques tourelles. Mais admirons les vicissitudes des choses d'ici-bas ! La demeure des princes est devenue la propriété d'un libraire ; des garçons de magasin occupent les chambres où logeaient les filles de Charlemagne qui, par parenthèse, y avaient été reléguées pour leur mauvaise conduite.

« Quand la France échappa enfin au vandalisme révolutionnaire, on se ressouvint du palais des Thermes, et il fut décidé que ses abords seraient déblayés et que l'on veillerait à la conservation de ses nobles débris. Ils étaient masqués par une vieille maison occupée par un tonnelier et portant pour enseigne *la Croix de fer*. La maison fut abattue et quelques travaux en sous-œuvre furent entrepris pour empêcher l'écroulement des arcades encore subsistantes. Mais tout s'est borné là, et d'autres évènemens ont replongé dans l'oubli le plus antique monument de la capitale. »

Cependant nous avancions toujours. Après avoir parcouru toute la rue de la Harpe, nous venions de traverser le pont Saint-Michel et nous nous trouvions dans la partie occidentale de la Cité (dont la circonférence se trouve décrite page 43). Dans la rue assez régulière qui aboutit au pont, celle de la Barillerie, nous vîmes à notre gauche une grille toute surchargée de dorures et fermant une grande cour, dans laquelle s'élèvent, au fond un corps de bâtiment orné de colonnes et surmonté de quatre statues (1), et de chaque côté une

(1) L'Abondance, la Justice, la Force et la Prudence. Dans le tems de leur érection parut une épigramme plus mordante qu'exacte, dont le trait, tant bien que mal amené à la suite d'un éloge équi-

aîle qui se prolonge jusques sur la rue, où chacune d'elles présente une façade à colonnes d'ordre ionique. De l'autre côté s'ouvre, en face de la grille, une place de forme semi-circulaire plus profonde que la cour. Un perron majestueux, composé de 36 marches, conduit à la partie principale de l'édifice.

C'était le Palais de Justice, dont l'origine

voque des autres statues, se trouvait placé dans ce 4.e et dernier vers :

« *Mais* la justice *est mal* rendue. »

Ce n'est heureusement là qu'un jeu de mots, spirituel si l'on veut, mais dépourvu de justesse pour l'observateur qui a vu Thémis presque toujours fidèle à ses devoirs, en présence même du Despotisme ou de l'Anarchie, qui seuls pouvaient avoir intérêt à fausser sa balance.

Du reste, le Parisien de 1828 n'est pas moins enclin à la satire que celui de 1776, (époque où un incendie força de reconstruire la façade telle qu'on la voit aujourd'hui). La restauration de la grille a donné lieu à un nouveau quatrain, dans lequel on reproche à l'entrepreneur d'y avoir placé deux fois l'épée, et pas une seule les balances de la Justice.

remonte aux premiers tems de la monarchie. Il a subi depuis de notables changemens ; car, vers le VI.e siècle, il n'offrait qu'un amas de grosses tours communiquant entre elles par des galeries plus ou moins sombres, dont la vue s'étendait sur Issy, Meudon et Saint-Cloud ; ses jardins ont fait place aux cours Neuve et de Lamoignon et à leurs maisons construites en briques.

Tel qu'il était alors, il servait d'habitation à nos rois qui en changèrent peu-à-peu l'aspect et la destination. Saint Louis le flanqua d'un bâtiment qui existe encore aujourd'hui sous le nom de Sainte-Chapelle, mais qui ne sert plus au culte. Philippe-le-Bel le rebâtit presque de fond en comble en 1363 ; Charles VI y tenait sa cour ; Charles VII le céda au parlement en 1431. Cependant François I.er dut y résider, car il rendit, en qualité de premier paroissien, le pain béni à Saint-Barthélemy, église voisine (1).

(1) Saint-Barthélemy acquit, sous Charles IX, une horrible renommée par le massacre des Protestans,

Nos rois recevaient les ambassadeurs étrangers dans la grande salle de ce palais, déjà remarquable en ce tems par son étendue; on y donnait les festins publics d'apparat et l'on y faisait les noces des enfans de France. Depuis, le palais fut exclusivement le siége du parlement, et comme ses galeries étaient remplies de boutiques qui avaient une vogue semblable à celle qu'ont acquise les galeries du Palais-Royal, on l'appelait indifféremment : le Palais-Marchand, ou le Palais-de-Justice; ce dernier nom a prévalu depuis la révolution, parce que, les diverses cours de Justice y ayant été installées, son enceinte n'est plus guères fréquentée que par des personnes qui y sont appelées par affaires judiciaires.

dont sa cloche donna le signal. Pendant la révolution cette église fut démolie et remplacée par un théâtre dit de *la Cité*; celui-ci depuis a fait place aux salles de bal du *Prado*, sous lesquelles est resté le *Passage de la Cité*, conduisant, par deux issues, de la place du Palais au quai aux Fleurs.

Là siégeait, pendant la terreur, le tribunal révolutionnaire, qui, comme toutes les juridictions instituées par un parti dominant, envoyait à la mort, au nom des lois, de très-honnêtes gens dont le crime irrémissible était de penser autrement que les puissans du jour. Cette homicide fureur s'étendit jusques sur la personne sacrée de la reine Marie-Antoinette, qui fut elle-même conduite à l'échafaud, après avoir langui quelques jours, au sein de la plus affreuse misére, dans un sombre cachot de la conciergerie (lieu de détention faisant partie des bâtimens du palais, et dans lequel sont amenés les prévenus dont le jugement approche).

Depuis la restauration, ce cachot, sanctifié par l'affreuse agonie de la victime, a été converti en une chapelle expiatoire, où chaque jour on dit la messe. Elle est ornée d'un superbe tableau représentant la reine au moment où elle reçoit la communion, quelques heures avant de subir le martyre.

Un autre cachot plus horrible encore fut le séjour de Madame Elisabeth, la sœur de l'infortuné Louis XVI. Parmi les noms des prisonniers qui lui ont succédé dans ce triste séjour, se lisent ceux de Robespierre, et de Louvel, assassin du duc de Berry.

Maintenant qu'en France il ne s'agit plus de révolutions ni de fureurs de parti, et que les accusés sont considérés comme innocens jusqu'à ce qu'un jugement solemnel ait déclaré leur culpabilité, on a reconnu que la détention devait être non un châtiment, mais une sorte de garant que l'homme soupçonné d'avoir agi contre les lois n'échappera pas à leur action. En conséquence il a été construit dans l'enceinte du palais, vers le quai, de nouveaux bâtimens plus aérés, où les prisonniers respireront plus à l'aise. Des dispositions semblables seront, avec le tems, adoptées pour les autres prisons de la capitale (1).

(1) Les prisons de Paris sont au nombre de sept; savoir :

La Sainte-Chapelle, dont nous avons déjà parlé, fait partie de l'aîle gauche sur une

La Conciergerie, dont il est question ci-dessus.

La grande et la petite Force. La grande, dont l'entrée donne sur la rue des Ballets, quartier Saint-Antoine, est destinée aux hommes en état de prévention. Elle renferme dans son enceinte huit cours, dont quatre sont fort vastes. La petite Force, contigüe à la grande et ouvrant sur la rue Pavée, au Marais, ne contient que des femmes de mauvaise vie.

Le nom de ces tristes lieux, qu'au premier aperçu l'on croirait provenir de ce que l'on y est retenu *contre son gré*, a une toute autre origine. C'était jadis la résidence des princes de la famille royale, et, avant de subir sa dernière mutation, la propriété du duc de la Force. D'où le nom d'*Hôtel de la Force* lui est long-tems resté.

Sainte-Pélagie, située rue de la Clef, entre le jardin des Plantes et le faubourg Saint-Marceau, était autrefois une sorte de couvent où l'on enfermait les femmes débauchées. Elle a depuis été agrandie et a changé de destination. Elle renferme les prisonniers pour dettes et des condamnés pour délits politiques. On y comptait il y a quelques années une troisième classe; celle des coupables trop jeunes pour être censés avoir agi avec discernement. Les améliorations projetées en général ont commencé pour cette

cour qui porte son nom ; elle est divisée en deux parties superposées, dont l'inférieure

maison dans laquelle vont être établies deux administrations distinctes.

Les *Madelonettes*, rue des Fontaines, entre les marchés du Temple et Saint-Martin, sont le lieu de détention des femmes condamnées. Sa destination a donc peu changé : c'était jadis un couvent de filles pénitentes sous l'invocation de Sainte-Madelaine. De là le nom de Madelonettes.

Saint-Lazare, au faubourg Saint-Denis, autre prison de femmes condamnées aux travaux publics. C'était dans l'origine une ladrerie et un hôpital pour la lèpre. Ces maladies ayant cessé leurs ravages, la maison fut donnée d'abord à Saint-Vincent-de-Paul pour la congrégation qu'il avait instituée en 1625 ; puis aux Pères de la Mission qui y infligeaient, aux jeunes gens de mauvaise conduite, d'humiliantes corrections auxquelles ne parvenaient pas toujours à se soustraire les poètes et les prosateurs licencieux. Beaumarchais lui-même fut quelque tems relégué à Saint-Lazare.

L'*Abbaye* tire son nom de l'ancienne abbaye St.-Germain, sur le terrain de laquelle elle a été bâtie. Elle est destinée aux militaires qui ont violé d'une manière grave les réglemens militaires, ou contre lesquels les conseils de guerre ont prononcé des condamnations.

se nommait basse Chapelle. Dans cette dernière sont classées, avec un ordre admi-

Montaigu, ancien collége dont le régime alimentaire était plus frugal encore que celui de Sainte-Barbe, (voir page 118), est situé dans la rue des Sept-Voies, à la proximité de la nouvelle Sainte-Geneviève. Les écoliers l'appelaient *Collége des Haricots*. On en a fait, depuis 1792, une prison militaire.

La *Maison de Refuge*, pour les jeunes condamnés, a été établie, depuis quelques années, dans l'ancien couvent des Jacobins, rue des Grès, vers la place Sainte-Geneviève, ci-devant du Panthéon. On leur y enseigne la lecture, l'écriture, la morale et la religion, avec un soin quelquefois couronné de succès.

Indépendamment de ces sept prisons, il existe des maisons de santé, où les détenus qui se trouvent dans un état grave de maladie, ou qui paraissent dignes de quelque faveur, sont transférés et soignés à leurs frais. M. Martainville, rédacteur du *Drapeau blanc*, journal très-monarchique, ayant été condamné, il y a quelques années, pour délit de la presse, passa aux bains de Tivoli tout le tems de sa peine.

On comptait encore, en 1827, une huitième prison, la moins sévère et la moins humiliante de toutes : l'*Hôtel Bazancourt*, situé quai du Jardin du Roi, un peu au-dessous de ce jardin. Cet hôtel était, pour 24 ou 72 heures, au plus, le lieu de détention des gardes nationaux parisiens qui avaient commis quelque in-

rable, les immenses archives de l'état-civil, contenant les actes de naissance, de

fraction à leur service. Le congé *impromptu* donné à la garde nationale, le 29 juin 1827, après la dernière revue du Roi, a rendu vacant l'hôtel Bazancourt; cette prison assez gaie est devenue une triste solitude, dont les portes sont retenues par des bouts de ficelle. (*Historique*).

La *Maison de Bicêtre*, située à l'orient, un peu au-dessus de Paris, sert en partie de succursale aux prisons de la capitale. On y réunit les condamnés à mort ou aux travaux forcés (les galériens), jusqu'à la mise à exécution de leur condamnation. C'est une hideuse curiosité que les préparatifs du départ des forçats.

Vous êtes peut-être curieuses, ma chère maman et ma petite sœur, de savoir à qui je dois les détails relatifs au Palais-de-Justice et aux prisons? c'est à la femme de l'un des principaux gardiens de la conciergerie, qui, un panier au bras, sortait de la cour du palais, au moment où nous étions arrêtés devant la grille. Jugeant à nos regards avides que nous étions étrangers, cette femme très-honnête, bien qu'un peu babillarde, s'était mise en tiers dans notre conversation, et nous avait expliqué d'abord une chose, puis une autre, et enfin nous avait donné à peu près tous les renseignemens qui précèdent. « C'est que, nous avait-elle dit avec une étonnante volubilité, par état,

mariage et de décès du département, à partir des tems les plus reculés. Elle offrait une particularité remarquable, c'est que le célèbre Boileau y fut enterré, précisément sous le lutrin qui lui avait fourni le sujet du poëme, où il a déployé tant de talent et de gaîté. Le trésor de la Sainte-Chapelle jouissait anciennement d'une grande renommée; entre autres objets curieux on y voyait un vase d'*agathe-onix*, qui fait actuellement partie du cabinet des Antiques.

Derrière le Palais-de-Justice est situé

elle connaissait tout cela mieux que personne ; elle allait faire sa petite provision à la halle, et, puisque notre intention paraissait être de nous y rendre, elle se ferait, si nous l'avions pour agréable, un plaisir de nous accompagner et de nous donner toutes les *instructions* qui pourraient dépendre de son petit savoir. » Cette brave dame n'avait pas l'air trop commun ; elle s'exprimait très-passablement ; et, quand il s'agit de s'instruire, il ne faut pas se montrer trop difficile : bref, nous acceptâmes sa proposition, et nous poursuivîmes notre route, nous entretenant comme d'anciennes connaissances, de tout ce qui s'offrait à nos regards.

l'hôtel de la *Préfecture de Police*, qui a tant de rapports avec la juridiction des tribunaux. Généralement, ce mot de police a quelque chose d'odieux pour les personnes même les moins exposées à son action, parce que l'idée de ces mouchards dont nous avons vu le type dans une de nos précédentes promenades, se rattache à celle de cette administration. Elle a cependant des branches tout-à-fait étrangères aux arrestations et aux délits qui les provoquent. Tels sont les poids et mesures, les bâtimens, les subsistances et la surveillance de certains commerces qui se rattachent à cette partie; les accidens qui peuvent arriver à toute heure dans une ville peuplée, l'enlèvement des boues, etc., etc. Ainsi, en dépit du préjugé, l'on peut être un fort honnête homme et occuper un emploi à la Préfecture de Police.

En face de la tour de l'Horloge qui s'élève au coin du quai des *Morfondus*, se déploie l'agréable vue du quai *aux Fleurs*,

C'était précisement jour de marché, et les jardiniers des faubourgs y étalaient leurs caisses, leurs pots garnis de fleurs de toute espèce. Déjà les amateurs les plus matinals y arrivaient à dessein de faire leurs emplettes aussitôt que s'ouvrirait la vente. Nous quittâmes à regret cette région embaumée, et traversant à la hâte le pont au Change, nous nous arrêtâmes devant la fontaine du Palmier. (En voir la courte description page 55).

Là, après un moment de réflexion, je dis à papa : « Madame, (la personne obligeante qui depuis le Palais-de-Justice n'avait pas cessé de nous donner des explications. *Voir la précédente note*) ; madame vient de nommer place du Châtelet celle sur laquelle nous sommes. Ce mot châtelet, si je ne me trompe, est le diminutif de château. Serait-ce donc la construction élégante que je vois derrière la fontaine qui donnerait son nom à la place ?

« — Ton petit roman ne serait pas trop

mal arrangé, me dit en riant mon père; mais il est malheureusement fondé sur une fausse conjecture. Ce bâtiment qui borne la place au nord, place du reste fort vaste et assez bien dessinée, n'est qu'une maison particulière où se tiennent un café, et un restaurant fameux, surtout pour les pieds de mouton. A l'occident est un autre traiteur qui prétend à la même renommée pour avoir le premier relevé la bannière du *Veau qui tette*; mais son rival est établi sur l'emplacement même de l'ancienne maison de ce nom; mais à sa porte figure, par un contraste piquant, la mesquine enseigne, sur tôle peinte, du veau *des anciens jours*; et le public, qui se prend assez généralement par les yeux, paraît avoir adopté ce dernier dont les vastes et brillans salons ne désemplissent pas.

« Quant au nom de Châtelet, continua mon père, en voici l'origine : Depuis Jules César, jusques vers la fin de ce qu'on appelle la seconde race des rois de France,

Paris entier resta enfermé, comme l'est encore aujourd'hui la Cité, entre les deux bras de la rivière, ayant au levant un petit édifice qui devint, à la suite des tems, une chapelle dédiée à la Vierge, et enfin la Cathédrale telle que nous la voyons aujourd'hui; au couchant, le palais des Rois ou Comtes, maintenant Palais-de-Justice; au nord et au midi, deux forteresses appelées le grand et le petit Châtelet, que l'on dit avoir été bâties par César lui-même. Le grand Châtelet couvrait la partie occidentale de cette place, et défendait les abords du grand pont, situé à peu près où se trouve le pont au Change. Quant au petit Châtelet, il s'élevait, également hors de la ville, dans la direction opposée, mais un peu plus haut, sur l'emplacement de l'espèce de carrefour où aboutissent aujourd'hui le Petit-Pont, (déjà il existait sous ce nom, mais sous un aspect différent, et formait, avec le pont du grand Châtelet, les deux seules entrées de Paris), le nouveau quai Saint-Michel et les rues de la Huchette, de la Bûcherie et du Petit-Pont, prolongation de celle Saint-Jacques.

« Les deux forteresses n'ayant plus d'objet, lorsque la ville s'étendit au-delà du fleuve, subirent divers changemens et devinrent par la suite des siéges de juridiction criminelle. Les bâtimens ne disparurent entièrement qu'à la révolution; on rendait encore des jugemens au Châtelet dans les premières années de cette époque glorieuse et funeste; l'une des dernières affaires appelées fut celle des journées des 5 et 6 octobre 1789, où le peuple alla tumultueusement chercher à Versailles le malheureux et bon roi Louis XVI, et le ramena en triomphe dans la Capitale.

« Anciennement, la place du Châtelet s'appelait *l'Apport-Paris*, parce que c'était là que les cultivateurs voisins *apportaient* les denrées nécessaires à la consommation de la ville, comme ils les amènent aujourd'hui sur le carreau de la Halle. On n'apporte plus à vendre sur cette place que les meubles et effets saisis sur de malheureux débiteurs. Ces *Ventes par autorité de justice* ont lieu, comme les grands marchés, les mercredi et samedi. »

Ainsi parlait mon père, tandis que nous suivions la rue *Saint-Denis*, qui aboutit à la place du Châtelet ; déjà elle était pleine d'hommes et de femmes écrasés sous le poids d'énormes hottes, garnies à comble de toutes sortes de légumes ; j'ignore comment ces pauvres gens pouvaient échapper aux charrettes à bras, ou traînées par des chevaux, qui se croisaient en tous sens sur leurs pas. Si l'on veut continuer les embellissemens que Paris réclame, ce passage si fréquenté, les ruelles et les rues qui s'y jettent auront de grands changemens à subir. Nous trouvâmes la plus large de ces dernières, située à gauche de celle Saint-Denis, couverte de chaque côté, et presque jusqu'au ruisseau, de monceaux de choux, de carottes, de navets, d'herbages de toute espèce, derrière lesquels se tenaient les marchands, tandis que les consommateurs, se pressant, se heurtant au milieu de ces deux rangées de diverses denrées, débattaient les prix et faisaient chacun sa provision.

Un pareil cahos ne pouvait se démêler tout d'un coup; mes yeux fatigués se portèrent à la hauteur du premier étage, sur la maison qui fait angle, et j'y lus : *Rue de la Ferronerie.*

« Ah papa ! m'écriai-je, n'est-ce pas ici que fut assassiné Henri IV ? — Oui, mon ami : le 14 mai 1610, par Ravaillac, ce misérable instrument du même fanatisme qui avait, quelques années auparavant, le 1.er août 1589, armé Jacques Clément contre Henri III. Mais avançons : un peu après la première rue à gauche, nous trouverons une maison à laquelle sont adossés, à un étage de distance, deux bustes du grand roi. Sous le plus élevé se lisent deux vers latins qui expriment l'amour des Français pour ce prince. C'est devant l'emplacement qu'occupe cette maison qu'il reçut le coup mortel. La rue était alors plus étroite encore ; les gens du monarque, par une inconcevable négligence, laissèrent son carrosse à peu près sans escorte, et, passant sous les charniers des Innocens, évitèrent l'embarras de voitures qui s'était formé par hasard, ou peut-être à dessein, sur le passage de celle du Roi ! »

Nous continuâmes notre route, et notre bienveillante compagne de voyage, prenant à son tour la parole, entra dans de longs détails, dont voici le résumé :

Tous les matins, cette rue, une grande partie de celle Saint-Honoré, qui en est la prolongation, et généralement tout le carreau de la Halle, sont couverts des produits non-seulement des marais voisins de la ville, mais encore des champs, à plus de 10 lieues à la ronde ; des charrettes de toutes dimensions attendent la plus grande partie de ces denrées, dans les rues adjacentes, pour les transporter chez les fruitiers de la Capitale.

La veille, le paysan charge dans l'aprés-midi son âne, son cheval ou sa charrette, selon ses facultés ou en raison de la distance; arrivant à Paris de 10 heures à minuit, il prend la file rue Saint-Honoré, jusqu'au moment où les préposés, auxquels il se présente, lui assignent, sur leur carnet, un numéro qu'il trace à la craie sur son chapeau. Sur tout le carreau de la Halle et dans les rues désignées à cet effet, cette sorte de vente s'ouvre au son de la cloche, à 5 heures en été, au jour en hiver. Dans l'étroit espace qui reste entre les deux stationnemens de marchandises, les acheteurs, les passans, les voitures même circulent, s'arrêtent, s'entrechoquent, selon la saison, jusqu'à 9 ou 10 heures du matin, qu'un nouveau tintement se fait entendre. Alors, le peu de denrées qui reste sur la place est vendu à quelque prix que ce soit; souvent plus cher que jamais, parce que les consommateurs abondent à ce moment, dans l'espoir trompeur de traiter plus avantageusement ; les vendeurs et les *chalands* se dispersent ; les tronçons de choux, de salades, les *fanes* ou têtes de navets, de panais, de poireaux, tous les débris enfin dont le sol est jonché, sont balayés et enlevés dans des tombereaux disposés d'avance, là tout près ; en moins d'une heure, ces rues, naguères impraticables, sont propres et libres, comme celles des autres quartiers.

Voyons maintenant la Halle proprement dite, ce vaste bazar de verdure, dont l'auteur du *Petit Gargantua*, almanach publié il y a près de 50 ans, disait assez spirituellement dans son langage burlesque :

« La Halle est un grand jardin pavé ; en » été, comme en hiver, on y voit des fleurs » et des fruits ; on les cueille, et, le lende- » main, il en paraît d'autres. Les Nymphes » qui y président habitent un tonneau ; et, » semblables à Diogène, elles disent au pre- » mier venu tout ce qu'elles pensent. »

Puisqu'un sentiment de curiosité, bien naturelle dans des Français, a porté nos pas jusqu'à l'entrée de la rue Saint-Honoré, c'est par celle de *la Tonnellerie*, qui y débouche, que nous entrerons dans la Halle. Nous y prendrons une idée de l'architecture de nos ancêtres. Qu'il y a loin de ces arcs-boutans grossiers qui soutiennent de vieilles maisons, sous lesquelles on ne circule qu'en tremblant, aux élégantes arcades du Palais-Royal et de la rue de Rivoli ! Peut-être ne les connaissez-vous pas non plus ; je vous engage à les visiter. Quant à ces voûtes étouffées, c'est ce que l'on appelle les Piliers des Halles. Les boutiques qu'elles privent du jour sont occupées de tems immémorial par des fripiers, des tapissiers ; d'autres états s'y sont cependant aussi casés depuis quelques années. Il paraît que dans les anciens plans ces piliers entouraient ou devaient entourer les halles ; il en existe encore sur trois faces ; mais déjà quelques parties en ont été démolies, et le reste ne tardera pas à l'être.

Ici papa, demandant à l'orateur féminin

la permission de l'interrompre, s'informa si ces piliers ne me rappelaient pas un souvenir historique. Il s'y rattachait bien dans mon esprit quelques idées confuses; mais je ne pus jamais les rassembler; il fallut que mon père, me conduisant par la main devant la maison qui porte le n.º 3, m'y montrât un buste et une inscription annonçant que J. B. Poquelin de Molière y était né en 1620.

« Il ne faut pourtant se fier que jusqu'à certain point à ce document, ajouta mon père, car un homme instruit a prétendu, depuis quelques années, avoir découvert un extrait de baptême, qui assignerait à une maison de la rue Saint-Honoré l'honneur d'avoir vu naître notre premier poète comique. Dans tous les cas, Molière, fils d'un tapissier, fut lui-même valet-de-chambre-tapissier du roi, sous Louis XIV. Il est probable que la bicoque n.º 3 fut habitée, un certain tems, soit par ses père et mère, soit par quelque parent à un degré très-rapproché, exerçant la même profession, et dont le nom, trouvé dans les archives de la maison, aura accrédité un bruit flatteur pour le propriétaire actuel. Beaucoup de faits réputés historiques n'ont souvent, hélas! d'autre fondement que des probabilités. »

Mais revenons-en aux Marchés, au centre desquels nous sommes.

Cette rue (celle de la Tonnellerie) en devient un elle-même les mercredi et samedi : les boulangers de l'extérieur y exposent en vente, ces jours-là, du matin au soir, sous les piliers, des pains de 12, de 8 et de 4 livres, qu'ils débitent à un prix inférieur à la taxe affichée de quinzaine en quinzaine.

La rue à peu près en face de la *Maison Molière* est celle de la Poterie. C'est là qu'on étale les plantes médicinales, et les sangsues devenues depuis quelques années l'un des plus fréquens auxiliaires de la médecine. L'unique bâtiment qui occupe à gauche toute cette rue, est la Halle aux draps et aux toiles. Elle se compose de salles de 400 pieds de longueur, couvertes d'une voûte à plein cintre et éclairées par 50 croisées. On y monte par un escalier à deux rampes, placé au milieu de l'édifice. Des armoires pratiquées au pourtour contiennent les marchandises La Halle est ouverte pour les draps, tous les jours, de 10 à 3 heures; et pour les toiles, cinq jours de suite, aux mêmes heures, après le premier lundi du mois.

La rue de la Petite Friperie, parallèle à celle de la Poterie, et qui de l'autre côté longe en partie la Halle aux draps, est coupée à moitié par la place du Légat, sur laquelle s'élève un petit marché couvert, principalement destiné au détail des pommes de terre, dont la vente, en sacs apportés par les paysans, se tient le matin seulement dans la rue de la grande Friperie, autre aboutissant de la même place. La vente de l'oignon au boisseau a lieu toute la journée sur le trottoir qui borde de ce côté la Halle aux draps.

Entre les rues de la Poterie et de la Petite Friperie, est un poste de gendarmerie, adossé à la partie orientale de la Halle aux toiles. En face se déploie le marché des Innocens, plus remarquable par la superbe fontaine qui le décore, (voyez page 56), que par la galerie quadrangulaire qui l'entoure. Sous cette galerie, simple hangar, avec un toît couvert de tuiles, que supportent de petites colonnes en bois, se tiennent tout le jour des marchandes de fruits et légumes de toute espèce. Le centre, resté à découvert, sert le matin à la vente des fruits au panier, apportés de nuit, comme les légumes.

Une rue ouverte sur l'emplacement de l'ancien charnier des Innocens, borde le marché au midi; elle sert, tout le jour, à la vente des choux et légumes; celle *aux Fers*, qui le longe au nord, n'est embarrassée que le matin et plus particulièrement de fruits et de bouquets. L'espace qui, du marché, conduit à la pointe Saint-Eustache, est ce qu'on appelle proprement le carreau de la Halle, ou la rue du Marché aux Poirées. Quand les gens de la campagne l'ont laissé libre, de pauvres femmes y vendent, en dépit des réglemens et malgré la surveillance active des suppôts de l'autorité, des bottillons de légumes, de la salade, et des huîtres; le commerce autorisé de ces dernières se fait, du matin au soir, rue Montorgueil, donnant pointe St.-Eustache.

Trois marchés spéciaux débouchent sur le carreau, savoir : au levant, le marché aux œufs et aux beurres en gros; il est construit en pierres de taille et composé de plusieurs comptoirs où cette denrée se vend à la criée; et le *Marché au Poisson* ou à *la Marée*, qui n'est qu'un vaste hangar à toiture très-élevée et ouvert de tous côtés. Le matin il s'y fait vers la rue prolongée de la Tonnellerie, qui, sur ce point, est bordée de piliers moins saillans que ceux de la rue principale, des ventes, en gros et à la criée, de poissons de mer et d'eau douce.

Le reste de son enceinte est consacré au détail qui se prolonge jusqu'à la nuit. Autour de ces marchés, dans les rues de la Tonnellerie et du Pot d'Étain formant retour, (celle-ci également bordée de piliers plus grossiers encore que tous les autres, et dont l'abri tout ouvert est la salle de restaurant du peuple des halles), se tient le matin la vente, en sacs, des légumes farineux, tels que pois, haricots, fèves, etc., selon la saison.

Le troisième marché, au couchant, est fort vaste et se compose de divers rangs de hangars, divisés par des ruelles découvertes. Une partie sert à la vente des légumes, l'autre à celle des beurres et fromages au détail.

Ce dernier marché, à son retour sur la rue de la Tonnellerie, aboutit en face d'une ruelle ouverte depuis peu en faveur des piétons seulement. Cette ruelle, continuellement garnie d'étalagistes qui offrent aux passans toutes sortes de menues marchandises, conduit à une halle dite *à la Viande*, commencée en 1813 sur les débris de maisons abattues à l'extrémité de la rue des Prouvaires, et terminée en 1818. C'est toujours le même système de hangars supportés par des colonnes en bois ; aussi n'est-il que provisoire, et doit-il, Dieu seul sait quand, être remplacé par des constructions en maçonnerie. En attendant il s'y tient, les mercredi et samedi, un marché de viande de boucherie et de charcuterie, dans une partie réservée à cet effet ; et tous les jours, dans l'autre, un détail de volailles, de gibier et d'issues (ou de triperies, qui comprennent tous les abattis de la viande de boucherie).

Quelques pas de plus, faits toujours dans la direction du couchant, conduisent à un monument superbe, qui écrase de son admirable ordonnance toutes les constructions mesquines dont nous venons de parler. C'est la Halle aux blés et farines, élevée de 1762 à 1765, sur l'emplacement de l'ancien hôtel de Soissons, par les soins de M. de Viarmes, alors prévôt des marchands.

La halle est circulaire, et la rue qui l'environne, bâtie en même tems qu'elle, porte le nom du magistrat qui en fit exécuter le projet. Elle est percée de 25 arcades de 6 pieds et demi d'ouverture, dont six en sont les portes et s'ouvrent sur autant de rues terminées par des carrefours. Au-dessus du rez-de-chaussée sont de vastes greniers voûtés, auxquels on monte par deux escaliers très-curieux. La voûte, originairement en charpente, a été dévorée par les flammes en 1802, et rétablie en fer coulé et en cuivre, de 1811 à 1812, de sorte qu'elle est désormais à l'abri d'un semblable accident.

La grande colonne d'ordre dorique, que l'on voit à l'extérieur, servait d'observatoire à Catherine de Médicis, princesse superstitieuse, qui y montait souvent accompagnée d'astrologues, et y faisait des opérations algébriques, à l'effet de découvrir l'avenir dans les astres. Cette colonne cannelée, dans le fût de laquelle est un escalier à vis, était chargée en quelques endroits de couronnes, de trophées de C et de H entrelacés; de miroirs cassés et de lacs d'amour rompus, figures allégoriques du veuvage de cette princesse. On a pratiqué, au bas de ce monument précieux, une belle fontaine qui donne de l'eau de la Seine; en haut se trouve un méridien d'un genre particulier, marquant l'heure précise du soleil à chaque point de la journée et dans chaque saison : il est de l'invention du père Pingré, chanoine régulier de Sainte-Geneviève et membre de l'Académie des Sciences.

« Voilà, nous dit notre compagne de voyage, au moment où nous terminions cette revue bizarre, ce que c'est que la Halle. Son inspection suffit pour vous donner une idée exacte des marchés disséminés dans Paris (1); presque tous ont été

(1) Parmi les autres marchés qui alimentent les divers quartiers de la Capitale, on remarque :

établis, ou pour le moins réparés depuis la révolution. Mais, si la plupart sont dignes,

Celui de *Boulainvilliers*, bâti vers 1780 par les ordres du marquis de ce nom, prévôt de Paris, entre les rues de Beaune et du Bac, faubourg Saint-Germain, sur l'emplacement de l'hôtel des Mousquetaires. Il vient d'être reconstruit sous une nouvelle forme.

Celui des *Jacobins-Saint-Honoré*, entre la rue de ce nom et celle dite Neuve-des-Petits-Champs. Il a pris du couvent des Jacobins, jadis situé sur son emplacement, son nom, dont s'était, avant son existence, emparée une société trop célèbre de révolutionnaires, qui tenait ses séances dans les murs mêmes du couvent, démoli depuis.

Le marché *Saint-Joseph*, au coin des rues de ce nom et du Croissant aboutissant à la rue Montmartre, ainsi nommé d'une chapelle qui a subsisté sur son emplacement, de 1640 à 1796, époque où un particulier, qui en fit l'acquisition, la fit rebâtir sous sa nouvelle forme.

Le marché *Saint-Martin*, sur une partie de l'emplacement du jardin de l'ancienne abbaye de ce nom, entre ce qui reste de ce jardin et le quartier du Temple. Il se compose d'une grande cour, au centre de laquelle s'élève la jolie fontaine citée dans la note page 57; des deux côtés sont une halle couverte, bâtie en pierres de taille, d'une dimension de 184 pieds, sur plus de 60. Au fond est une grille qui laisse l'aspect du

par leur élégante construction, de fixer la curiosité de celui qui attache autant d'im-

jardin. La principale façade est formée de deux pavillons, sur le fronton desquels on voit, du côté de la cour, un pélican qui se déchire l'estomac pour nourrir ses petits; oiseau sculpté aux dépens d'un aigle qui y figurait d'abord; l'édifice, entrepris en 1811, n'ayant été achevé qu'en 1816.

Le marché *Saint-Germain*, décrit ci-devant, page 83.

Le marché *à la Volaille* et *au Gibier*, dit *la Vallée*, situé quai des Augustins, vers le Pont-Neuf; il en sera question ci-après, à l'occasion de ce quai.

Celui des *Carmes* ou de la place Maubert, construit sur l'emplacement de l'ancien couvent des Carmes, au pied de la montagne Sainte-Geneviève. Sa bâtisse a beaucoup de rapports avec celle des deux précédens, et renferme, comme la plupart des nouveaux marchés, une fontaine d'une forme agréable.

Ce marché est voisin de la *Place Maubert*, au sein de laquelle il s'en est tenu un jusqu'en 1822, époque de l'achèvement de celui-ci. Selon une étymologie assez singulière, le nom de cette place ne serait qu'une corruption de celui de *Maître Albert*, savant du XIII.e siècle. La renommée du professeur était telle, dit-on, que ne trouvant point dans son quartier de salle assez vaste pour contenir ses nombreux disciples, il donnait ses leçons au milieu de la place, qui se serait en

portance à ce qui procure quelque jouissance à la classe laborieuse, qu'à ce qui

conséquence appelée d'abord *Place de Maître Albert*, puis, par syncope, *Malbert*, puis enfin *Maubert*. Quoiqu'il en soit, on attribue au même savant, sous le nom d'*Albert-le-Grand*, un livre de prétendus *Secrets Merveilleux*, dont les éditions se sont, d'âge en âge, multipliées à l'infini. Il traite de la vertu magique, des astres et de certains animaux, végétaux et minéraux; il en attache même à des paroles bizarres. Si Albert fut un véritable savant, le livre n'est pas de lui, car la science est incompatible avec la superstition et le charlatanisme. Au reste, depuis que les lumières se sont répandues, cet ouvrage est tombé dans un grand discrédit.

Il existe en outre plusieurs marchés ayant chacun une destination spéciale. Ceux que nous n'avons pas encore eu l'occasion d'indiquer sont :

La halle *aux Cuirs*, *Veaux et Peaux*, située rue Française, entre les rues Saint-Denis et Montorgueil; ouverte tous les jours.

Les marchés *aux Fourrages*, qui se tiennent rue du faubourg Saint-Martin; rue d'Enfer, faubourg Saint-Jacques, et place du marché Beauveau, faubourg Saint-Honoré; les deux premiers tous les jours, et le dernier les mardi et vendredi.

Il arrive seulement du foin sur le quai de la Tournelle, où il se vend les deux mêmes jours; l'avoine

peut flatter la sensualité de la classe opulente, l'ordre intérieur qui règne dans ces

se débarque sur le port au blé; la vente a lieu tous les jours de la semaine.

Le port *aux Tuiles*, destiné à la vente de cet article, des briques, etc., est établi sur une partie du quai de la Tournelle, à son point le plus élevé.

Le marché *aux Fruits*, dit *le Mail*, se tient au bas du port aux Tuiles. Ces fruits, apportés en bateau, ont, par l'effet d'un long voyage, bien moins de saveur que ceux qui arrivent par la voie de terre.

La halle *au vieux Linge* ou *le Temple*, et *la Cour Saint-Jacques-la-Boucherie*, qui sont exclusivement consacrés au détail des linges de table, de lit et de corps, et de tous vieux effets quelconques d'habillement. C'est là que les élégantes de la classe moyenne vont se fournir de *parures* à bon compte. La première, composée de quatre immenses corps d'abris, supportés par des piliers en bois, a été construite sur les ruines du Temple, dont elle a emprunté son nom vulgaire. Cet antique Château-fort n'avait pas tardé d'expier, sous le marteau des démolisseurs, le crime d'avoir servi de prison à l'infortuné Louis XVI et à sa famille. La cour Saint-Jacques est d'un autre style. Ce sont tout simplement huit ou dix rangs de maisonnettes, divisées par des ruelles très-étroites, sur lesquelles s'ouvrent des boutiques. Cette construction s'est élevée, depuis 3 ou 4 ans, sur les ruines

marchés n'est pas moins admirable que leur ordonnance purement matérielle. Partout, et dans les moindres détails, une sage prévoyance a cherché les moyens de garantir la bonne foi contre les embûches de la friponnerie. Des *Facteurs* enregistrent les marchandises qui arrivent et qui pour-

encore fumantes d'un autre marché composé d'ignobles barraques en bois, qu'un incendie venait de détruire. Le marché prend son nom de Saint-Jacques-la-Boucherie, ancienne église, sur le terrain de laquelle il a été bâti. On n'a conservé, à cause de sa solidité, que la tour qui servait de clocher à cette église; elle s'élève à une hauteur considérable et fut bâtie sous le règne de François I.er

La place *aux Veaux*, qui n'est qu'un grand hangar en forme de carré long, avec un espace découvert au milieu. On y expose ces animaux en vente, les mardi et vendredi. Le même local devient le mercredi une halle pour la *vente des Suifs*; et le vendredi seulement il se tient, dans une cour voisine, un marché pour celle des *Vaches grasses*.

Deux marchés aux *Porcs vivans* ont lieu près et hors de Paris, l'un à la Maison-Blanche, l'autre à la Chapelle, village attenant à la barrière de Saint-Denis, dans lequel sont établis un grand nombre d'entrepôts de marchandises, et principalement de liquides.

raient ne pas être vendues ; les propriétaires de ces denrées ont pour garant la probité, responsable au moyen d'un fort cautionnement, de ces agens de l'autorité. Ils en obtiennent même des avances sur les marchandises *de garde* qui leur sont consignées ; il est vrai que le facteur en tire un certain profit.

« Grâces à la police établie sagement dans ces lieux, les tromperies y sont rares ou se bornent à des bagatelles ; par exemple : un panier de fruits dont l'extérieur est du plus beau choix, ne contiendra dans le fond qu'une qualité bien inférieure; pendant que vous vous éloignerez, après avoir marchandé, on ne se fera peut-être pas trop de scrupule de substituer un poisson de moyenne taille à un gros ; de soustraire une petite portion du lot de comestibles pour lequel vous êtes en débat. Aussi, pourquoi marchandez-vous ? C'est cependant chose indispensable à la halle, où la détaillante n'en revient pas elle-même, quand elle ne vous a point surfait de plus de moitié.

« Les querelles sérieuses ne sont pas non plus très-fréquentes dans les marchés. Les *Dames de la Halle*, comme les appellent les programmes des fêtes publiques, sont hargneuses ; elles criaillent ; elles vous injurient, paraissent même toutes prêtes à vous battre ; mais, *foncièrement*, elles ne sont pas méchantes ; je veux vous en fournir la preuve avant de nous éloigner d'ici. Du reste, voyez avec quel art elles savent arranger les légumes, les fruits, les fleurs ; maintenant que le Carreau est déblayé, ce lieu n'est-il pas devenu une promenade tout-à-fait agréable, qui, si parfois elle blesse l'odorat, charme du moins la vue et donne un avant-goût des plaisirs gastronomiques? »

On voit que quand la bonne dame était en train de jaser, elle ne tarissait point. Mon père, tout en s'avouant, en lui-même, combien sa présence nous avait été utile, se sentait un peu fatigué de sa loquacité ; il voulut, après lui avoir adressé quelques remercîmens, prendre enfin congé d'elle. « Vous allez me quitter, lui dit-elle? J'avais pourtant encore à vous faire connaître bien des choses qui auraient instruit et amusé monsieur votre fils ; au reste, chacun a ses affaires ; c'est trop juste. Mais je vous ai promis un échantillon de l'humeur de ces femmes, veuillez assister, à quelques pas de distance, aux marchés que je vais conclure avec elles, pour les divers objets que je veux reporter à la maison, et je suis bien trompée si je ne vous donne pas, sans beaucoup d'efforts, quelque scène piquante. »

Elle nous en donna en effet une...... à l'étalage de chacune des revendeuses devant qui elle s'arrêta, pour emplir son panier de beurre, d'œufs, de légumes, de fruits. Partout, suivant son plan bien arrêté à l'avance, elle offrit un prix évidemment inférieur à la valeur de ce qu'elle marchandait ; partout elle se vit repoussée par des invectives que ma plume affaiblirait en les retraçant. Tout allait bien jusques-là. Les honnêtes gens haussaient les épaules; la populace faisait cercle, et l'on voyait, mêlés parmi elle, quelques individus très-bien couverts : c'est qu'à Paris, il faut être dans la plus profonde misère pour ne pas arborer les livrées du luxe, porté dans cette ville à un point tel, que les gens les mieux vêtus n'ont quelquefois pas un sou dans leur poche, pas même une chemise sous leurs riches vêtemens ! Lorsque l'attroupement se dispersait, on entendait toujours quelqu'un se plaindre d'avoir perdu, dans la bagarre, un mouchoir ou quelque bijou; car c'est encore une chose à remarquer dans cette ville : sitôt qu'il y a rassemblement, des filoux se trouvent à portée pour visiter les poches des curieux; il en est même qui s'entendent entre eux pour en former le noyau.

« Partons, me dit enfin mon père excédé; nous sommes cette fois tombés en trop mauvaise compagnie. » Et nous allions nous mettre en quête d'aventures moins vulgaires, quand, pour son malheur et pour le nôtre, la cause du rassemblement en sortit, toute fière d'avoir imposé silence à son adversaire. Elle se rattacha de plus belle à nous, en nous demandant si nous nous étions *bien amusés*, et nous premettant toute autre chose, si nous voulions revenir avec elle jusqu'à *la Marée*, où elle se proposait de faire encore quelques emplettes. Papa craignit sans doute d'offenser une personne à laquelle nous avions, dans la réalité, quelque obligation, et nous la suivîmes, escortés, à notre grand regret, pendant quelques minutes, par une partie des témoins de la dernière scène; un *événement*, tout aussi futile, nous en débarrassa au coin de la première rue.

Nous voici parmi les marchandes de marée: le poisson de la première qu'aborda notre guide sentait

« Un peu plus fort, mais pas si bon, que roses. »

La dame le fit observer à la harengère,

qui la traita, Dieu sait comme! Une autre à qui elle offrit 15 sous d'un morceau de raye, dont il lui en avait été demandé 50, se contenta de lui donner quinze *bénédictions* (1)! Enfin s'étant avisée de dire à une troisième qu'un carrelet qu'elle exposait en vente ne lui paraissait pas de la première fraîcheur; cette femme, d'un mouvement brusque, saisit le poisson par les ouïes, le lui mit d'abord sous le nez, en lui disant : « *fleure* (pour flaire), donc! » Puis, rejetant son bras en arrière, fit le geste de lui en donner par la figure. La bonne dame, commençant à s'effrayer, recula de deux pas et marcha sur la patte d'un gros chien de boucher qui passait derrière elle. Irrité par la douleur, l'animal se retourna sur elle, la renversa et la tint sous lui, en grommelant avec fureur. Déjà nous la croyons dévorée; heureusement pour elle, en vertu d'une ordonnance de police, le terrible

(1) Expression des dames de la halle quand elles ne sont pas en humeur d'injurier leurs pratiques.

dogue était muselé ; le boucher, qui n'était pas loin, siffla, appela : *Tonnerre ! Tonnerre ! !* et il fallut bien que monsieur Tonnerre, que nous repoussions de toutes nos forces, lâchât prise. La malencontreuse dame en fut quitte pour avoir sa robe, son fichu, son bonnet, tachés de crotte, d'écailles et de sang de marée, et pour une forte douleur à la hanche, qui l'empêcha pendant quelques instans de se tenir debout.

Mais ce qu'il y avait de curieux à voir, c'était l'empressement de la marchande auprès de *c'te pauv' chèr' femme !* Sa fureur s'étant calmée, dès que l'accident était arrivé, elle avait jeté bien loin d'elle le poisson qui en était la cause ; elle était auprès de la blessée long-tems avant nous, et la voyant un peu revenir à elle, voulait à toutes forces lui payer un poisson d'eau-de-vie. « C'est *estomacal*, » disait-elle sans cesse ; mais il faut rendre justice à l'autre ; elle n'accepta pas. « C'est que vous m'en voulez, reprenait la marchande, et, *foi de Ge-*

neviève! je suis plus fâchée que vous de votre malheur. »

Nous ne pouvions pas abandonner une personne qui s'était attiré cette disgrâce par obligeance pour nous; mon père envoya chercher un fiacre, nous y plaçâmes la malade qui commençait à se mieux porter; ses provisions dispersées autour de nous furent ramassées et replacées dans son panier auprès d'elle, et nous nous fîmes conduire à sa demeure.

Chemin faisant elle retrouva sa langue et nous entretint des bonnes et mauvaises qualités des dames de la halle, prétendant que les premières l'emportaient de beaucoup sur les dernières. « Vous en avez eu là un bel exemple, dit-elle : si un malheur arrive, s'il se présente à elles un être souffrant, aussitôt ces femmes, qui semblaient si hargneuses, si emportées, se livrent à la plus naïve sensibilité. Elles se disputent le plaisir d'offrir les premiers secours; elles vont, viennent, s'agitent, font entre elles des collectes qui sont toujours abondantes ; chez elles, c'est le cœur et non la vanité qui dicte l'offrande ; et souvent un malheureux, dont la misère a besoin d'un prompt soulagement, le trouve plutôt dans le cercle grossier des marchandes de la halle, que s'il implorait la commisération d'un cercle opulent. »

Nous étions arrivés au Palais-de-Justice ; il se trouva dans la cour un des confrères du mari de *Madame Georges*, nom que cet homme répéta jusqu'à satiété, en lui adressant la parole ; bientôt M. Georges fut averti et revint avec son confrère pour emmener sa femme. Il se fit un grand échange de remercîmens réciproques; nous remontâmes dans notre carrosse, et nous revînmes tout droit à la maison.

Cette dernière aventure nous avait, pour le moment, dégoûté des voyages.

PANTHÉON ou NOUVELLE ÉGLISE DE Ste GENEVIÈVE.

Commencé en 1754, **le Panthéon** *fut consacré pendant la révolution à l'in humation des grands hommes, puis rendu au culte Catholique en 1822.*
Les Façades de **la Place Vendôme** *furent élevées sous Louis XIV.* **La Colonn** *a été érigée de 1806 à 1810; le métal des Bas-reliefs provient de l'artilie ennemi*

PLACE VENDÔME.

CHAPITRE VIII.

Troisième Voyage. — Les Écoles de Droit et autres. — Sainte-Geneviève. — Sa Bibliothèque. — Distribution de prix au Collége de Henri IV. — L'École Polytechnique. — La Pitié. — Le Jardin du Roi. — Rencontre au Labyrinthe.

« Il faut, me dit un matin mon père (1), nous dédommager aujourd'hui de l'interruption qu'un incident ridicule a apporté à

(1) Nos lecteurs n'oublient pas que c'est le jeune Jules Mériadec qui trace l'historique de ses voyages dans Paris.

notre dernier voyage. Celui que nous allons entreprendre ne sera pas sans agrément pour toi, ni même pour ceux qui te liront, si tu en fais bien ressortir les différentes circonstances. Tu es prêt? partons. »

Cette fois, nous tournâmes à gauche, en sortant de notre maison, et, remontant notre rue de ce côté, nous nous trouvâmes rue Saint-Jacques, à l'entrée du faubourg; mais au lieu de nous y engager, nous nous dirigeâmes vers le nord, jusqu'à une grande place que nous ne tardâmes pas à voir sur la droite.

Là se dessinait à notre gauche, à la suite de quelques maisons de peu d'apparence, un grand bâtiment d'un style sévère, dont la façade, exposée au levant, est ornée de quatre colonnes supportant un fronton triangulaire. C'est l'*École de Droit*, construite sur les dessins du célèbre Soufflot, architecte, auquel on doit également l'édifice principal de la place. Les cours que l'on y suit sont ceux de *Droit Romain*; de *Droit Civil*

Français; de *Procédure* et de *Droit Criminel*; de *Droit Commercial*; de *Droit Naturel* et de *Droit des Gens*; et enfin de *Droit Positif* et *Administratif*. Les étudians ne peuvent y être admis avant leur seizième année. Malheureusement ces jeunes gens, logés pour la plupart dans des hôtels garnis du voisinage, sont exposés journellement à abuser de la liberté illimitée dont ils jouissent. Pour remédier à ce grave inconvénient, il vient d'être établi, dans le voisinage du Luxembourg, une pension où seront admis les jeunes gens qui se destinent à suivre les cours de l'École de Droit. Il serait à souhaiter qu'une semblable spéculation eut lieu en faveur des élèves de l'École de Médecine (1).

(1) Plaçons ici quelques mots sur cette École, qui rivalise avec celle de Droit, pour attirer à Paris, du fond des départemens les plus éloignés, une foule de jeunes gens ambitieux de s'ouvrir une carrière honorable à la fois et lucrative.

L'*École de Médecine et de Chirurgie* est située dans l'ancienne rue des Cordeliers, qui, depuis quelques

Un monument parallèle aux Écoles de Droit manque de l'autre côté de la place,

années, a adopté le nom de l'École, son principal ornement. Celui qu'elle porta d'abord était dû à l'existence d'un couvent d'hommes, de l'ordre des Cordeliers, sur l'emplacement dont la fontaine d'Esculape, (voir la note page 57), occupe aujourd'hui la partie la plus occidentale. C'était là le grand couvent de l'ordre qui fut institué en 1208, par Saint François d'Assises. Ces Religieux ne s'y établirent qu'en 1230, époque où Saint Louis fit bâtir l'église. Brûlée en 1580, elle fut reconstruite, en partie, aux frais de Henri III; ce qui n'empêcha pas les bons Pères de prendre part à la ligue.

En 1599, le maréchal de Beaumanoir, chassant dans la forêt du Maine, trouva endormi, près d'un buisson un homme d'une conformation extraordinaire; il avait, au haut du front, deux cornes de bélier, était chauve et portait au menton une barbe rousse et distribuée par flocons, ce qui achevait de lui donner l'aspect d'un satyre. Ce malheureux, désespéré de se voir conduit de foire en foire, mourut à Paris et fut enterré dans le cimetière des Cordeliers.

Il ne reste rien de l'église: un seul bâtiment, des dépendances du couvent, subsiste encore sur la rue de l'Observance, rue tellement escarpée, qu'un rang de bornes plantées transversalement à son sommet, empêche les voitures d'y descendre. Il a été fondé,

où il serait cependant bien nécessaire, pour accompagner dignement le magnifique édi-

dans ce local un hospice composé de 25 lits, consacrés à des maladies qui méritent une attention particulière, et dont l'investigation peut servir efficacement à l'étude de la médecine. Les malades y sont sous la direction de M. le docteur Dubois, l'un des plus célèbres chirurgiens dont l'École s'honore.

C'était dans la rue des Cordeliers que fleurissait, pendant la révolution, le club de ce nom, bien digne de concourir avec celui des Jacobins à un bouleversement total. C'est encore dans cette rue, et dans la maison portant aujourd'hui le n.° 18, à droite, un peu au-dessous de l'École de Médecine, que le trop célèbre Marat fut assassiné par Charlotte Corday; on exalta beaucoup dans le tems cette action désespérée, parce que, dans la réalité, elle purgea la France d'un monstre altéré de sang, qui, par des écrits furibonds, poussait d'excès en excès le peuple dont il se prétendait l'*ami* exclusif; mais, aux yeux de la morale, ce n'en était pas moins un homicide, qui n'avait pas même pour excuse le désir de délivrer la patrie d'un joug insupportable : Charlotte n'avait point d'autre but que celui de venger son fiancé, mis, comme tant d'autres, à mort, par suite des principes atroces que préconisaient Marat et ses adhérens.

Mais revenons à l'École de Médecine.

C'est un monument aussi distingué par sa beauté

fice que l'on a en perspective de la rue Saint-Jacques. La boule et la croix resplendis-

que par son utilité. Commencé sous le règne de Louis XV, il fut achevé sous son infortuné successeur. La façade offre un péristyle d'ordre Ionique antique, à quatre rangs de colonnes de face, supportant un Attique, où sont placés la bibliothèque et le cabinet d'anatomie. On a réuni dans ce cabinet tous les instrumens de chirurgie anciens et modernes. Le public est admis dans l'un et dans l'autre trois fois par semaine. L'extérieur de l'amphithéâtre est décoré des ordres Ionique et Corinthien; l'intérieur, artistement disposé sur le modèle des théâtres de l'antique Rome, peut contenir 1200 spectateurs. Ce n'est guères que vers la fin du règne de François I.er que fut reconnue l'importance de l'anatomie pour les progrès de la chirurgie et de la médecine, et que l'on commença de l'étudier sur le corps humain; jusqu'alors la dissection avait été regardée comme sacrilège. Aujourd'hui cette opération se fait publiquement, et l'élève en chirurgie, le moins instruit, n'est pas étranger à l'art de faire le squelette.

On voit à gauche une aile de bâtiment qui renferme plusieurs salles destinées à l'école pratique, aux séances académiques, à la chambre du conseil et aux archives. Des salles pour la visite des malades occupent l'aile droite. Il y a encore un hôpital de six lits, pour les cas tout-à-fait extraordinaires; une pharmacie élémentaire, etc., etc.

santes d'or, qui le surmontent, le signalent comme consacré au culte Catholique. C'est en effet la nouvelle église *Sainte-Geneviève*, célèbre dans les fastes de la régénération française, sous le nom profane de *Panthéon*. Un court historique de la nouvelle et de l'ancienne église ne sera peut-être pas ici déplacé. Le voici tel à peu près que me l'a fait mon père :

A la sollicitation de Clotilde son épouse

Toutes les parties de ce superbe édifice sont ornées de sculptures et de bas-reliefs très-remarquables; en un mot, la science et les arts peuvent également se glorifier d'une semblable institution.

Ne quittons pas la rue de l'École de Médecine, sans parler d'un autre établissement qui mérite encore une visite. C'est l'École gratuite de Dessin et de Mathématiques, où sont enseignés, sans aucune rétribution, les lundi et jeudi, la géométrie et l'architecture; les mardi et vendredi, la figure et les animaux; les mercredi et samedi, les fleurs et les ornemens. Elle fut établie, en 1767, par Louis XV, pour 1500 enfans, et particulièrement destinée à l'instruction des artisans Français. Elle a reçu depuis de notables perfectionnemens.

et de Geneviève, simple bergère, déjà célèbre par sa piété et par ses vertus, Clovis, devenu chrétien, fonda, après la bataille de Tolbiac, dans laquelle il demeura vainqueur, une église en l'honneur de Saint Pierre et Saint Paul, qui fut consacrée à ces Apôtres, par Saint Remi, à la fin de l'année 507. Un peu plus de 4 ans après, Geneviève, qui maintes fois avait, par ses exhortations, ranimé le courage des soldats de Clovis; qui, par son noble dévouement, non moins que par sa pieuse intercession, avait efficacement concouru à la défense de Paris, mourut en odeur de sainteté, le 3 janvier 512, et fut inhumée en grande pompe, et au milieu d'un deuil universel, dans la chapelle souterraine de cette église, bâtie sur la hauteur, à une certaine distance de l'enceinte de la ville. Dans une de leurs invasions, les Normands ruinèrent cet édifice, qui fut enfin relevé au IX.e siècle, sous l'invocation de Sainte-Geneviève, reconnue patrone de Paris, et confié à la direction de chanoines séculiers, (c'est-à-dire qui n'avaient point fait de vœux); Louis VII les supprima, à la suite de désordres constatés dans leur maison, et les remplaça par des chanoines réguliers.

Là s'élevait le tombeau de Clovis, transporté, depuis la révolution, au Musée des Petits-Augustins; là était renfermée la châsse de Sainte-Geneviève, contenant les reliques de la sainte; on ne l'exposait aux regards des fidèles que dans des cas extraordinaires, soit pour demander au ciel le rétablissement de la santé d'un roi malade, soit pour en obtenir de la pluie dans les grandes sécheresses; du beau tems après de longues pluies, ou la cessation des calamités publiques. Elle était ornée de diamans et de pierres les plus précieuses, provenant la plupart d'offrandes apportées par les dévôts de l'un et de l'autre sexe, qui venaient invoquer la sainte et faisaient brûler de petits cierges en son honneur. Ils étaient quelquefois en si grande quantité, que toute l'église en était illuminée. Un grand nombre d'*ex-voto*, petits tableaux représentant divers miracles, dûs à l'intercession de la sainte, garnissaient les murailles.

En 1793, dans un moment de délire qu'il serait difficile de qualifier, des fanatiques, d'une espèce toute nouvelle, s'emparèrent de la châsse et la brûlèrent sur la place de Grève, croyant, par cette profanation, détruire pour jamais le culte de la sainte; un procès-verbal fut dressé pour constater l'anéantissement du peu de reliques qui furent trouvés dans l'intérieur; par exemple, on se garda bien d'y parler des richesses qui la décoraient extérieurement, et qui devinrent sans doute la proie des profanateurs.

Quoiqu'il en soit, l'attente de l'impiété fut déçue; la Religion vit relever ses autels, et la tombe de Sainte-Geneviève, retirée de l'ancienne église, que l'on fut obligé de démolir, à cause de sa vétusté, fut rétablie dans une chapelle latérale de celle de Saint-

Etienne-du-Mont, qui en est voisine; bien mieux, il y fut inauguré une nouvelle châsse, contenant les vraies reliques de la sainte, dont on expliqua ainsi le recouvrement : des personnes pieuses, reconnaissant l'impossibilité de soustraire à la fureur des Vandales la châsse trop volumineuse pour être cachée facilement, avaient pris le soin d'en retirer au moins les reliques et de les mettre en réserve pour des tems meilleurs. Ces tems étant arrivés; on opposa procès-verbal à procès-verbal, et nul doute ne s'étant élevé contre la rédaction du dernier, les restes précieux de la sainte reçoivent, sous le toît hospitalier de St.-Etienne-du-Mont, les hommages d'une foule, moins nombreuse peut-être, mais non moins empressée, de fidèles.

Mais notre sujet nous a emportés loin de la nouvelle église consacrée à la Patrone de Paris; il faut que nous rétrogradions de 71 ans pour en revenir à elle.

Dès les premières années du XVIII.e

siècle il avait été reconnu que l'ancienne église menaçait ruine ; on avait donc, dès lors, résolu de la remplacer par une construction nouvelle, où l'architecture déploierait son luxe ; et le plan de l'architecte Soufflot fut celui qu'on adopta. Il offre la figure d'une croix grecque. La longueur du terrain qu'occupe l'église, y compris le portail, est de 340 pieds environ ; sa largeur de 250. Le portail, imité de celui du Panthéon de Rome, se compose d'un péristyle de 22 colonnes corinthiennes, dont 18 sont isolées. Le tout forme un porche de 112 pieds d'étendue, sur 36 de profondeur. Les travaux préparatoires commencèrent en 1757 ; la première pierre ne fut posée qu'en 1764. On regardait la bâtisse comme achevée dans les dernières années du même siècle, quand on reconnut un affaissement dans les colonnes intérieures qui soutenaient le poids énorme du dôme ; on ne parvint à empêcher l'écroulement que par des travaux inouis, autant qu'ingénieux, qui se trouvaient à peine achevés lors de la restauration.

L'érection de ce temple magnifique est, dit-on, l'accomplissement d'un vœu fait par Louis XV, dans le cours de la maladie qu'il eut à Metz; ce fut ce prince qui en posa la première pierre. Les travaux éprouvèrent de fréquentes interruptions, jusqu'en 1791, qu'en vertu d'un décret de l'Assemblée nationale, l'édifice, changeant de destination, prit le nom de *Panthéon Français*, et fut consacré aux grands hommes que la France avait produits et qu'elle devait produire encore. Au lieu des attributs de la Religion qui en décoraient le fronton, il y fut placé un riche bas-relief analogue aux intentions de la législature, avec cette légende : AUX GRANDS HOMMES LA PATRIE RECONNAISSANTE! Les restes de Voltaire y furent apportés avec une pompe digne de l'ancienne Rome; Rousseau et quelques autres y trouvèrent une place honorable; mais bientôt arrivérent les Saturnales de la révolution, et les murs du Panthéon furent souillés par la dépouille mortelle de scélérats, tels que Marat, dont les restent en furent bientôt arrachés, et, par un autre scandale, jetés, assure-t-on, dans l'égoût Montmartre.

Bonaparte, devenu empereur, décréta que le Panthéon serait rendu à sa destination première et servirait de sépulture aux membres du sénat, aux grands de l'Empire, aux généraux célèbres. Cette décision, s'il faut en croire les mémoires du tems, donna lieu à une anecdote assez plaisante.

A cette époque, les inhumations se faisaient déjà par entreprise, et il avait bien fallu en venir là, car depuis les *beaux jours* de 1793 elles avaient lieu de la manière la plus inconvenante et la plus irrespectueuse. Cependant le service n'était pas encore organisé avec la perfection que l'on y reconnaît aujourd'hui ; il régnait une maladie qui emportait journellement un grand nombre de ceux qu'elle avait atteints, et les agens de l'administration des pompes funèbres étaient aux aguets pour que leur pénible service ne supportât aucun retard, surtout quand il s'agissait de personnages éminens. Un des plus zélés, passant devant l'hôtel du célèbre Tronch..., apprit, par la rumeur publique, que ce sénateur devait avoir payé tribut à la maladie.

Aussitôt l'officieux *Croque-mort*, trouvant ouverte la porte de la rue, s'élance sans être vu du concierge, et pénètre jusqu'à l'appartement du défunt. Personne dans l'antichambre : il poursuit jusqu'à une troisième pièce, où il trouve enfin un monsieur tranquillement assis au coin du feu. Présumant que c'est un des plus proches parens de M. Tronch..., qui médite sur la vanité des grandeurs humaines, il compose son maintien pour lui donner une expression analogue au compliment de condoléance, dont il a d'avance dressé le petit protocole. Mais sa figure s'était réfléchie dans une glace; le personnage, sortant de sa rêverie, tourna vers lui ses regards et lui demanda ce qu'il souhaitait : « Je viens, monsieur, répondit l'autre, pleurer avec vous un homme que la France regrette et dont elle célébrera long-tems les talens et les vertus. Je viens en même tems prendre, pour la cérémonie funèbre, les ordres de sa famille désolée. Rien, sans doute, ne doit être épargné, quand il s'agit de rendre honneur à un nom fameux, à l'un de nos plus illustres sénateurs. »

« — Que signifie ce verbiage? De qui parlez-vous, monsieur? — De votre respectable parent, monsieur; du grand et à jamais regrettable Tronch..., dont la perte irréparable.... — Je ne suis pas mort, coquin! Repasse dans quinze jours. » M. Tronch..., car c'était lui-même, furieux d'une semblable méprise, s'était emparé des pincettes et en menaçait le malencontreux visiteur, qui n'eut que le tems de s'éclipser au plus vîte.

On dit que, jaloux de se rendre à jour

fixe où l'appelait son devoir, il revint à l'hôtel, au bout de la quinzaine, et que sa visite, cette fois, ne fut pas inutile. M. Tronch..., non moins ponctuel, avait eu la complaisance de mourir, ainsi qu'il l'avait pronostiqué.

Après avoir ri de l'aventure, dont au surplus mon père ne garantissait point l'authenticité, nous en revînmes à la nouvelle Sainte-Geneviève. Il me fit observer que, malgré le décret du 20 février 1806, qui la réintégrait dans son temple, près de 16 ans s'écoulèrent avant qu'elle en prît possession. Les travaux de réparation, les événemens politiques, les dissensions civiles retardèrent ce moment. Enfin, une ordonnance de S. M. Louis XVIII, du mois de décembre 1821, termina cette grande affaire.

On s'attendait à voir transférer dans le ci-devant Panthéon, la châsse déposée à St.-Etienne-du-Mont. Elle resta dans cette église; une autre, contenant d'autres reliques de la sainte, fut inaugurée dans la nouvelle basilique, desservie *provisoirement* par les missionnaires de France. De la sorte, il existe deux sanctuaires consacrés à la sainte; tous deux attirent un grand concours de fidèles; mais ce concours est plus considérable à Saint-Etienne, où il se compose surtout de gens de la campagne, habitués depuis long-tems à faire là leurs dévotions.

L'intérieur de la nouvelle église est divisé en quatre nefs, au milieu desquelles est le dôme, dont la superbe coupole, peinte par M. Gros, représente l'apothéose de la patrone de Paris. Ces nefs sont décorées de 130 colonnes cannelées, d'ordre corinthien, de 3 pieds et demi de diamètre, sur près de 28 pieds de hauteur. Elles supportent un entablement dont la frise est ornée de rinceaux; au-dessus sont des tribunes bordées de balustrades.

La partie souterraine de l'église n'en est pas la moins curieuse; elle forme un vaste monument sépulcral, divisé en plusieurs salles. Avant les nouvelles dispositions, on remarquait à l'entrée les tombeaux de Voltaire et Jean-Jacques; nous n'avons pu savoir d'une manière certaine ce qu'ils étaient devenus. Nous avons dit plus haut ce que l'on avait fait des cendres de Marat. Celles de Mirabeau, homme d'un grand génie, mais fougueux, et accusé de trahison, après son apothéose, furent expulsées du Panthéon et déposées dans le cimetière de Saint-Etienne-du-Mont.

« Mais, observa mon père, l'heure s'avance. C'est aujourd'hui la distribution des prix dans les colléges; nous devions en voir une : si cela te fait plaisir, je te conduirai à celle du collége Henri IV, qui occupe une partie des bâtimens de l'ancienne abbaye de Sainte-Geneviève. »

On conçoit que j'acceptai bien vîte la proposition. Le collége était à deux pas, nous nous y rendîmes; nous présentâmes les billets que papa s'était procurés, et nous fumes admis.... dans la cour. Il n'était pas encore onze heures, et la cérémonie ne devait commencer qu'à midi; cependant nous trouvâmes là quinze ou vingt personnes qui, comme nous, s'étaient un peu trop pressées. On ouvrit la salle où devait avoir lieu la distribution; elles s'y précipitèrent. J'avoue que j'étais bien tenté de les imiter, afin d'avoir de meilleures places; papa me retint en me demandant si je voulais faire le *Badaud*? Ce mot, sans que je le comprisse, sonnait mal à mon oreille; après me l'avoir complaisamment expliqué (1),

(1) Le *Dictionnaire de l'Académie* donne cette définition à peu près dans les mêmes termes dont s'était servi papa : « BADAUD; niais, qui s'amuse de tout. Badaud est un sobriquet que l'on donne en dérision aux Parisiens : *Badauds de Paris*; à cause de leur frivole curiosité, de leur empressement pour voir tout ce qui est nouveau, tout ce qui fait spectacle. » Mais, ce que l'Académie ne dit pas, et dont, en fidèle historien, je ne puis disconvenir, c'est que la population de Paris se compose, pour une bonne moitié, de provinciaux qui abondent de toutes parts, et qui, dans l'occasion, ne se montrent pas moins badauds que les *natifs* eux-mêmes. *Experto crede Julio.*

mon père me fit monter un grand escalier, au haut duquel nous trouvâmes une salle très-vaste, construite en forme de croix et éclairée par un petit dôme, dont la coupole représente l'apothéose de Saint-Augustin. Cette salle est ornée de plusieurs bustes de grands hommes, habilement sculptés. Les rayons qui la garnissent renferment environ 3,000 manuscrits et plus de 100,000 volumes, dont se compose la *Bibliotheque de Ste.-Geneviève*, ci-devant du Panthéon.

Au fond d'une des branches de la croix, moins profonde que celle qui lui répond, se trouve peinte une perspective qui, du point milieu, fait illusion jusqu'à rendre cette partie égale à l'autre. Un riche cabinet renferme une collection extrêmement curieuse d'histoire naturelle, de médailles, et d'antiquités égyptiennes, étrusques, romaines, grecques et gauloises.

Le tout est précédé d'une antichambre immense, dans laquelle je vis, avec l'intérêt le plus vif, un plan en relief, colorié, de

Rome moderne, dans la proportion d'un pouce, sur 90 (1).

(1) Voici, avec quelques détails, une nomenclature des autres établissemens de ce genre qui enrichissent la Capitale :

La *Bibliothèque du Roi*, située rue de Richelieu, est la plus complète de celles qui existent en Europe. Elle se compose de 70 à 72,000 volumes manuscrits, et au moins 400,000 imprimés. Le nombre de ces derniers s'accroit tous les jours, tant par des acquisitions importantes, que par le dépôt auquel sont assujétis, pour la conservation de leurs droits, tous ceux qui publient *en France* une édition de quelque ouvrage que ce soit, nouveau ou réimprimé. Il faut convenir que cette disposition générale doit mêler bien du fatras à cette précieuse collection. Heureusement, sa garde est confiée à des conservateurs instruits qui, séparant l'ivraie du bon grain, se bornent sans doute à constater la présence d'une foule de livres auxquels s'applique si bien ce vers de Voltaire, au sujet d'un recueil de poëmes mystiques :

« *Sacrés ils sont, car personne n'y touche.* »

Qui croirait, à voir tant de richesses, que leur origine remonte aux vingt volumes péniblement rassemblés par le roi Jean ? Il est vrai que déjà leur nombre s'élevait à plus de 900, sous Charles V, surnommé *le Sage*, qui les faisait soigneusement conserver dans une

Une heure est bientôt passée au milieu de semblables richesses. Une musique bruyante

des tours du Louvre ; mais après Charles VI, et sous la régence du duc de Bedfort, qu'avait amenée le malheur des tems, comme il fallait fournir à l'érection d'un mausolée en l'honneur de ce prince et de son indigne épouse Isabeau de Bavière, le régent acheta au prix de 1,200 livres cette bibliothèque estimée 2,323 livres, et, avec un soin tout anglais, la fit transporter dans son pays. Cependant un nouveau noyau se forma, et quelques-uns même des livres voyageurs revinrent le grossir. Louis XII, François Ier, mais surtout Louis XIV, Louis XV et Louis XVI y contribuèrent avec un zèle admirable. La Bibliothèque du Roi, rétablie enfin dans les dépendances d'un hôtel, autrefois la propriété du cardinal Mazarin, contient aujourd'hui, outre les manuscrits et ouvrages imprimés, 5,000 volumes de gravures, et une immense collection d'antiques et de médailles.

On remarque encore, dans les diverses galeries et salles dont elle se compose : la sphère céleste et le globe terrestre construits, en 1683, par le moine Coronelli, dans une proportion dont l'étendue les rend plus remarquables que leur exactitude, puisqu'en effet, depuis leur confection, il a été fait d'importantes découvertes en astronomie et en géographie ; un plan des pyramides de Ghizé, en Egypte ; le Parnasse Français, en bronze, de Titon du Tillet, où

nous avertit qu'il était tems de renoncer à leur examen, et nous courûmes à la salle

l'on voit réunis les plus célèbres poètes et musiciens Français, au milieu desquels domine Louis XIV, sous la figure d'Apollon : des peintures et dorures des plus grands maîtres qui aient existé sous le règne de ce prince ; et enfin le fameux cabinet de médailles et d'antiques, formé en partie de celui du comte de Caylus.

L'extérieur des bâtimens est loin de répondre à tant de magnificence ; il ne présente qu'une longue suite de murailles élevées, dans lesquelles sont percées, çà et là, quelques fenêtres, et, au centre, une grande porte dénuée de tout ornement.

Il avait été souvent question de transporter la bibliothèque ailleurs, et notamment dans les galeries du Louvre, pour la soustraire au danger d'être incendiée, auquel l'exposait sans cesse le voisinage de l'Académie Royale de Musique, ou de l'Opéra, imprudemment construit, en 1793, en face d'un établissement qui offrait peu d'intérêt aux dominateurs de cette époque. L'assassinat du duc de Berry, commis à sa sortie de ce théâtre, par le farouche Louvel, le 13 février 1820, en a fait fermer et démolir la salle, et a fixé pour long-tems l'emplacement de la bibliothèque. Sur le terrain de l'ancien Opéra, s'élève rapidement une chapelle expiatoire, destinée à perpétuer la mémoire de ce déplorable événement.

de distribution, où nous eûmes beaucoup de peine à trouver de la place, debout, der-

La bibliothèque est ouverte, aux curieux les mardi et vendredi, et tous les jours aux travailleurs.

La *Bibliothèque de Monsieur* est située à l'extrémité du quai des Célestins, cour des Vétérans, dépendante de l'ancien *Arsenal*, (dont la bibliothèque porte aussi le nom dans le public). Sa riche et magnifique collection avait été acquise du célèbre Paulmy d'Argenson, par *Monsieur*, comte d'Artois, aujourd'hui Roi sous le nom de Charles X. Elle contient environ 200,000 volumes et 10,000 manuscrits, et est ouverte tous les jours.

La *Bibliothèque de la Ville*, autrefois réunie dans l'ancienne maison principale des Jésuites, rue Saint-Antoine, où est aujourd'hui le collége Charlemagne, a été transportée, lors de l'établissement de ce collége, dans les bâtimens qui forment l'arrière-corps de l'Hôtel-de-Ville, rue du Tourniquet-Saint-Jean. Elle est riche surtout en manuscrits, en herbiers et en dessins de plantes, et s'est considérablement augmentée dans son nouveau local. On y est admis tous les jours, excepté le jeudi.

La *Bibliothèque Mazarine*, quai Conti, dans le Palais des Beaux Arts, autrefois le collége des Quatre-Nations, bâti par le fameux cardinal Mazarin, dont elle a conservé le nom, n'est qu'un débris de celle que le savant Gabriel Naudet avait, à grands frais, ras-

rière tout le monde. Quel spectacle imposant pour un jeune homme de mon âge ! M.

semblée, pour ce ministre, dans l'hôtel du quartier Richelieu, où se trouve aujourd'hui la Bibliothèque du Roi. Elle renfermait alors plus de 40.000 volumes rares et choisis ; les troubles de la fronde, dont le cardinal était le prétexte, l'ayant éloigné pour un certain tems de la Capitale, son hôtel fut envahi par une troupe de furieux, ses meubles brisés, ses livres pillés et dispersés ; un procès-verbal, déposé à la Bibliothèque du Roi, constate cet événement et les noms même des principaux spoliateurs. Le ministre, à son retour, ordonna des recherches qui ne furent pas infructueuses. Un grand nombre d'ouvrages furent rassemblés, mais à sa mort il en fut échangé une partie contre des doubles de la Bibliothèque Royale, et ces doubles, avec ce qui restait de la collection primitive, furent apportés et classés dans le local actuel, dont les galeries se composent de trois étages.

Le catalogue en porte le nombre de volumes à 95,000, dont le plus précieux est une bible latine de 1462 ; on l'estime unique, ce qui la place au premier rang parmi les livres imprimés. La bibliothèque est ouverte tous les jours, le jeudi excepté.

Dans le même palais se trouve la *Bibliothèque de l'Institut* ; on n'y est admis que sur la recommandation d'un membre de l'Académie.

La *Bibliothèque de l'École de Médecine* se compose

Lebeau, avocat-général près la cour de cassation, qui avait voulu honorer cette cérémonie de sa présence, entra bientôt par une porte du fond, accompagné du proviseur et des professeurs du collége, tous en robe, et

de tous les livres publiés dans l'intérêt de cette science et de celle de la chirurgie, depuis l'époque la plus reculée jusqu'à nos jours; elle est située dans l'intérieur de l'*École*.

L'*Observatoire* et le *Jardin du Roi* ont aussi chacun leur Bibliothèque. La première renferme tous les traités relatifs à l'uranographie, ou description du ciel; la seconde, la collection la plus riche et la plus variée d'ouvrages concernant les sciences naturelles, d'herbiers et de planches représentant les végétaux et les animaux de toutes les espèces connues. Les étudians y sont admis les lundi, mercredi et samedi, de 11 heures à 2, et le public, les mêmes jours, de 4 à 7 heures du soir, en été; depuis 3 heures jusqu'à la nuit, en hiver.

Il existe encore, à Paris, d'autres Bibliothèques moins volumineuses, mais offrant beaucoup d'intérêt. Telles sont celles des deux Chambres, du Tribunal de Cassation, des Ministères, du Conseil d'Etat, du Conservatoire de Musique, du Conseil des Mines, et de l'École Polytechnique, établissement dont nous allons parler tout-à-l'heure.

d'un air grave que mitigeait un sourire gracieux. Ils s'assirent après avoir salué l'assemblée, au milieu d'applaudissemens qui leur témoignaient l'affection des élèves, sans porter atteinte au respect de ceux-ci pour leurs instituteurs. L'un des professeurs prononça un petit discours sur la littérature Française comparée à celle des Grecs et des Romains. Il fut souvent interrompu par des marques d'approbation. Enfin la distribution commença : peindrai-je le silence qui régnait tandis que l'on proclamait les noms, le lieu de naissance du vainqueur, la pension à laquelle il appartenait ? dirai-je le trouble, la joie modeste de l'élève en recevant la couronne et les livres qu'il a mérités, et l'accolade que lui donnent M. l'Avocat-général, le proviseur, et quelquefois aussi le professeur de sa classe ? essaierai-je de décrire les transports de ses parens ; l'enthousiasme de ses camarades, criant après chaque nomination : *Fanfare!* le retentissement plus stimulant que mélodieux de la grosse caisse, des cymbales, des clarinettes et autres instrumens à grand effet? Je resterais trop au-dessous de la réalité; je répéterais trop de fois des scènes semblables, et renouvelées souvent, avec une satisfaction toujours croissante, en faveur d'un même élève; car celui qui s'applique à ses études ne voit pas ses triomphes se borner à un seul genre.

Nous eûmes ainsi le plaisir de passer en revue toutes les notabilités du collége, depuis les classes où l'on enseigne les plus hautes sciences, jusqu'à celles consacrées aux études élémentaires. Dans ces solemnités, l'écolier paresseux lui-même se sent électrisé; jugez de l'effet qu'elles doivent produire sur celui qu'embrâse l'amour du travail. En sortant de la distribution, je sentais mon cœur battre d'émulation; des larmes roulaient dans les yeux de mon père; il songeait sans doute aux palmes qu'il a recueillies dans sa jeunesse, ou plutôt à celles moins nombreuses dont mes maîtres, trop indulgens, ont bien voulu quelquefois récompenser mes impuissans efforts. Il me tenait par la main ; nous descendîmes, sans prononcer un seul mot, la rue, je dirais presque la ruelle étroite et escarpée qui mène à celle de Descartes, au-dessous de laquelle les conducteurs de voiture doivent mesurer avec une sorte d'effroi la pente rapide de la montagne Sainte-Geneviève. Au carrefour que forment ces trois débouchés, se trouvent, comme adossés l'un à l'autre, une fontaine et un puits banal, que sa voisine doit rendre à peu près inutile, si l'on considère surtout la profondeur obligée de ce dernier.

Vis-à-vis est l'entrée de l'*École Polytechnique*, (littéralement : de *Plusieurs Arts*). On y forme, en effet, des élèves pour les diverses Écoles d'application des services publics de l'artillerie sur terre et sur mer, du génie militaire, des ponts et chaussées, de la construction civile et nautique, des mines, des ingénieurs géographes, etc. etc. On la nommait, en 1793, époque de sa fondation, *École Centrale de Travaux Publics*; le nouveau titre qu'elle prit en 1795, par suite d'un décret qui la mit en rapport avec les écoles dont nous venons de parler, en dit plus en moins de mots. Ce décret portait à environ 330 le nombre des élèves, qui désormais ne seraient admis qu'au concours, et lorsqu'il se trouverait des places vacantes. Deux nouveaux décrets furent publiés en 1804 et 1805; le premier soumit les jeunes gens au régime militaire (1), dans l'intérieur de la maison; le deuxième avait pour but d'étendre la sphère de l'enseignement.

Les bâtimens sont bien distribués. La salle des plans, machines et modèles, excite surtout l'admiration des curieux (2).

(1) A cette époque, où tout homme naissait soldat, le tambour avait remplacé la cloche dans les lycées, qui étaient ce que sont aujourd'hui les colléges.

(2) Il existe encore dans Paris d'autres Écoles qui, chacune dans sa spécialité, ne méritent pas moins d'attention; savoir :

L'École des Mines, rue d'Enfer, qui renferme une

Nous quittâmes cet établissement, qu'il ne nous fut pas permis de visiter en détail,

importante collection de minéralogie, ouverte au public le jeudi de chaque semaine. Elle est dirigée par un conseil en relation suivie avec le ministère, pour tout ce qui concerne les mines, les salines, les carrières et les usines. La surveillance des Écoles Pratiques et des Travaux du Génie entre aussi dans ses attributions;

L'École d'Application du Corps Royal d'État-Major, rue de Varennes, faubourg Saint-Germain;

Une semblable École pour les Ingénieurs géographes, rue de l'Université, même faubourg;

L'École Spéciale des Langues vivantes, telles que le Persan, le Turc, l'Arménien, l'Arabe littéral et vulgaire, le Grec moderne, etc., à la Bibliothèque du Roi;

L'École Royale des Ponts-et-Chaussées, qui se recrute d'Élèves choisis de l'École Polytechnique, rue Culture-Sainte-Catherine, au Marais;

L'École Royale et Spéciale de Chant Religieux, rue de Vaugirard;

L'École de Pharmacie, rue de l'Arbalète, faubourg Saint-Marceau, dans laquelle se trouve un jardin botanique, dit vulgairement *Jardin des Apothicaires*, fondé anciennement par Nicolas Houel, sur le modèle de celui de Padoue, et d'après la méthode du célèbre Tournefort. Huit professeurs y président à l'enseignement;

et nous dirigeâmes vers le Jardin du Roi, en remontant vers le faubourg Saint-Marceau. C'est là le quartier par excellence, en fait de rues étroites et mal bâties. S'il me parut tel, jugez ce qu'il devait être il y a une quarantaine d'années; puisque mon père, qui ne l'avait pas vu depuis cette époque, le trouva singulièrement *embelli*.

En suivant une rue à gauche, (la rue Copeau), nous passâmes devant celle où est située Sainte-Pélagie, la terreur des débiteurs et des coupables en politique (voir page 128). Son portique sévère; les barreaux de ses étroites fenêtres, et jusqu'aux marches qu'il faut descendre pour y entrer, tout indique le séjour des larmes et du désespoir. On assure cependant que certains débiteurs, plus prévoyans que délicats, y mènent, à la liberté près, une très-joyeuse vie.

Au bas de la rue Copeau, vis-à-vis le Jardin des Plantes, est situé l'*Hospice de*

L'École des Naturalistes Voyageurs, au Muséum du Jardin des Plantes; etc. etc.

la Pitié, fondé, en 1612, pour servir de refuge aux enfans *trouvés* (1). Les bâtimens sont vastes, aérés, proprement tenus. On y compte 600 orphelins recueillis dans la classe indigente ; ils y sont occupés à des travaux utiles, jusqu'au moment où ils peuvent entrer dans le monde. Il existe au faubourg Saint-Antoine un semblable établissement en faveur des enfans abandonnés des deux sexes.

Nous quittâmes, le cœur un peu serré, cet hospice, et nous ne respirâmes plus librement qu'en arrivant à la grille du Jardin du Roi, où papa m'avait mystérieusement promis des jouissances inattendues.

Je désirais de visiter, sans délai, le Muséum d'Histoire naturelle ; mon père, sous

(1) Avant Saint Vincent-de-Paul, principal fondateur des établissemens de ce genre, les parens pauvres ou dénaturés exposaient leurs enfans dans les rues, sur les chemins. Ce douloureux spectacle est très-rare aujourd'hui, grâces aux soins que des mères infortunées sont toujours certaines d'obtenir dans des hospices établis à cet effet.

prétexte qu'il n'était pas l'heure, m'entraîna vers le labyrinthe, dont nous voyons le pavillon dominer les arbres du jardin.

M'étant arrêté sur le penchant de la colline circulaire, à admirer le magnifique cèdre du Liban et le cype sur lequel est placé le buste du célèbre naturaliste suédois Linnée : « Viens donc, viens, (me dit papa, avec une sorte d'impatience qui me surprit, car il était toujours le premier à m'encourager dans l'examen des nouveaux objets qui s'offraient à nos yeux), nous aurons le tems d'analyser tout cela en redescendant. » Et comme s'il eût retrouvé toute la vivacité de la jeunesse, il gravissait la ligne spirale qui conduit au sommet du labyrinthe. Je ne pus que l'y rejoindre au pas de course. Tout occupé du belvédère en bronze qui le termine et de la sphère de même métal qui le surmonte lui-même, je ne vis, en y entrant, rien que l'immense horison qui se déployait devant moi. Mais je fus bientôt tiré de ma délicieuse rêverie, par une petite voix flutée qui disait : « Il n'est pas bien, messieurs, de faire attendre ainsi des dames. Savez-vous bien que nous étions ici avant le coup de midi, qui m'a fait grand'peur, je vous l'assure (1)? — Ma sœur, maman, m'écriai-je, en volant dans leurs bras! » C'était, en effet, elles, qui, à mon insçu, avaient complotté, avec papa, de nous venir rejoindre au Jardin du Roi, et cette rencontre etait la jouissance imprévue qu'il m'avait promise.

« Ainsi, maman, repris-je, vous voilà tout-à-fait guérie, puisque vous venez partager dorénavant nos Voyages? J'en suis enchanté! C'est pourtant le coup de grâce pour mes chères *Tablettes*, dont la lecture n'offrira plus d'intérêt chez nous, puisque vous et ma sœur saurez d'avance tout ce qu'elles devront contenir. — Voilà une

(1) L'ardeur du soleil, concentrée sur l'amorce d'un méridien, opère, à midi juste, l'explosion d'un mortier à bombe, placé en dehors du pavillon, sous une enveloppe de fer.

bonne raison, interrompit vivement Caroline! Ce qui nous intéresse le plus dans votre ouvrage, monsieur, c'est l'auteur; et nous entendrions, dix soirées de suite, la lecture d'un même chapitre, qu'il ne nous charmerait pas moins le dernier que le premier jour. N'est-il pas vrai, maman? — C'est parler en bonne sœur, ma fille; et surtout exprimer nos véritables sentimens! Mais, indépendamment de cela, mon pauvre Jules, tu n'as rien à craindre pour tes Tablettes. Quoique mieux portante aujourd'hui, je ne suis pas encore assez bien pour prendre tous les jours un tel exercice. Ne te décourage donc point; observe et continue de recueillir de ton mieux les remarques; nous en entendrons toujours la lecture avec le plus vif intérêt. »

Un baiser bien tendre fut toute ma réponse. Après ces douces effusions, nous en revînmes, pour quelques momens, à l'examen des magnifiques points de vue, qui, de toutes parts, se déroulaient sous nos yeux.

Il fallut bien enfin renoncer à cette délicieuse perspective et redescendre circulairement vers la jolie Vallée Suisse que domine le labyrinthe. Au bas de celui-ci, sur la gauche, est un restaurant champêtre, je dirai même romantique, dont des inscriptions multipliées, en latin et en français, indiquent pompeusement l'objet et le genre.

Dans un losange, placé de chaque côté de la porte, on lit des vers latins à droite, français à gauche, qui expriment, en style lapidaire, une même pensée.

Voici l'inscription française :

Asile du repos, ces pins silencieux
Sur la verte colline étendent leur ombrage ;
Cet humble toit fournit des œufs et du laitage,
Repas des champs, mais pur comme l'air de ces lieux.

« Va pour le lait et les œufs, dit mon père! » et il nous fit servir, sous l'ombrage des pins silencieux, un potage au lait, des œufs à la coque, une volaille froide et une salade qui composèrent un dîner tout différent, pour le genre et le prix, de celui que nous fîmes chez un traiteur bourgeois, dans le cours de notre premier Voyage (voir page 91). C'est ainsi que nous attendîmes gaîment l'heure où devait s'ouvrir le Cabinet d'Histoire naturelle.

CHAPITRE IX.

Suite du troisième Voyage. — Le Muséum. — Le Jardin. — Les Abattoirs. — Les Guinguettes. — La Salpêtrière. — Les Gobelins. — Les Omnibus. — La Halle aux Vins. — La Vallée. — La Monnaie. — Le Palais de l'Institut. — Celui du Corps Législatif. — Invalides. — École Militaire.

Trois heures avaient sonné, ainsi que la cloche qui annonce cette ouverture ; nous allâmes tous ensemble visiter le Muséum. En traversant le jardin, pour nous y rendre, papa nous fit connaître, en peu de mots, l'origine et les progrès de cet admirable établissement. Un médecin de Louis XIII,

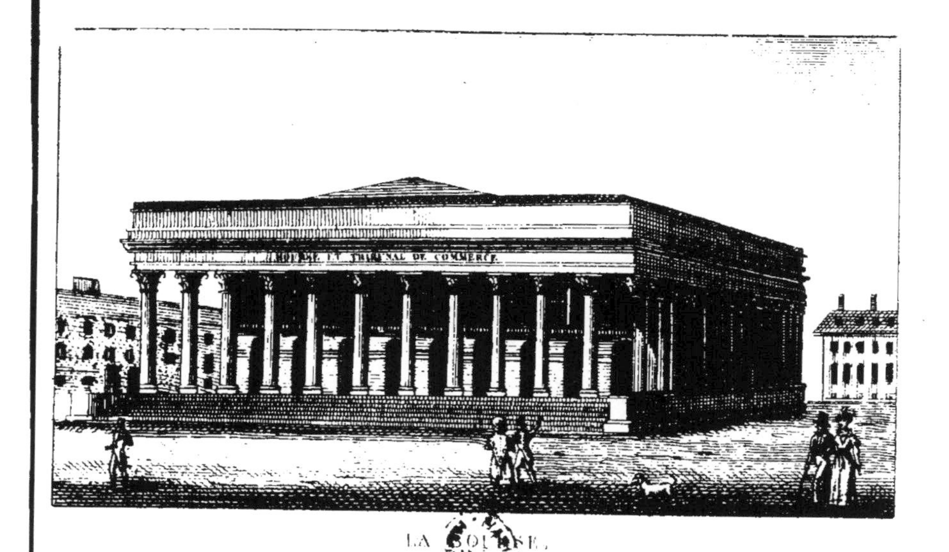

LA BOURSE.

La Bourse de Paris, *construite sur les dessins de feu Brongniart, a été inaugurée en 1825; le Tribunal de Commerce siège dans ses bâtimens.*
l'Ecole Militaire *avait été fondée par Louis XV en 1751. Elle sert depuis quelques années de Caserne à une partie de la Garde Royale.*

ECOLE MILITAIRE.

Jean de Labrosse, dont un caveau renferme encore le tombeau, en fut le créateur. Ce fut par suite de ses instances que le monarque fonda le jardin, qu'il destina à la culture des plantes étrangères. Fortement encouragée dans le principe, cette entreprise se signala dès l'abord par quelques accroissemens ; mais bientôt les dissensions civiles la firent négliger. Cependant elle refleurit, avec assez d'éclat, sous la direction de Vallot et de Fagon, qui rédigèrent, en 1665, un catalogue de plus de 4,000 plantes en culture. Enfin, en 1728, la surintendance passa aux mains de Leclerc de Buffon, naturaliste distingué, que son éloquence, non moins que son savoir, portèrent à l'Académie Française. C'est aux soins de ce grand homme et à ses successeurs, parmi lesquels on cite au premier rang Daubenton, Fourcroy, Lacépède, que le Jardin du Roi doit la splendeur, toujours croissante, dont il jouit depuis tout un siècle.

Les bâtimens qui renferment le Cabinet

d'Histoire naturelle n'ont, à l'extérieur, rien de bien remarquable. L'attention de la foule empressée à le visiter est toute réservée à son intérieur.

Au premier étage est une immense galerie, divisée en trois salles garnies d'armoires vitrées, au centre de laquelle s'élève la statue imposante de Buffon, avec cette inscription : *Majestati naturæ par ingenium*. Les deux premières de ces salles renferment le règne minéral (1), et la troisième le règne végétal. Tout ce qui con-

(1) Les savans ont partagé la nature en trois règnes : le *Minéral*, qui se compose des métaux, tels que l'or, l'argent, le cuivre, etc., et d'autres productions internes de la terre, comme les diamans et pierres précieuses, les marbres, les roches, le sel gemme, le vitriol, etc., etc.; le *Végétal*, dans lequel sont compris les arbres et les plantes de toute espèce, depuis le cèdre altier jusqu'à la mousse que foulent nos pieds ou qui croît au fond des eaux ; et enfin l'*Animal*, qui s'étend depuis l'homme jusqu'à la brute, depuis le monstre le plus féroce jusqu'au plus petit insecte, dont sont peuplés la terre, (intérieur et extérieur) les eaux, l'air et même les plantes.

cerne le règne animal se trouve réuni dans la galerie du second étage, qui reçoit le jour par des percemens ménagés dans sa partie supérieure. On y trouve le ciron imperceptible et la vaste baleine; l'aigle, justement appelé le roi des oiseaux, et le colibri, admirable diminutif de l'espèce; l'énorme caïman du Nil et le plus petit lézard de nos jardins; l'hippopotame des mers lointaines et l'éperlan de nos rivières; le terrible serpent boa et l'humble ver de terre; tous les genres y sont classés dans un ordre admirable; tous y offrent tour-à-tour la preuve la plus complète de ce que peut exécuter l'humaine intelligence. Que de soins ingénieux n'a-t-il pas fallu pour injecter, empailler, disséquer, conserver, à découvert ou dans l'esprit de vin, tant d'animaux divers! Ma sœur et moi nous restions en extase devant cette immense collection; maman regardait tout avec une attention imperturbable; papa, seul en garde contre l'enthousiasme qui nous avait gagnés, nous expliquait chaque objet avec un sang-froid presque égal à celui d'un Parisien accoutumé à de semblables merveilles.

Nous parcourûmes ensuite la Bibliothèque, la Galerie de Botanique, les Amphithéâtres dans lesquels les élèves suivent les différens cours, la Salle d'Anatomie et plusieurs autres. Une de celles-ci offre une particularité qui amusa beaucoup ma sœur et moi. Placés chacun à une extrémité opposée le long de la muraille, à laquelle nous appliquions l'oreille, l'un de nous entendait distinctement ce que l'autre ne prononçait qu'à voix basse. Une assez grande pièce renferme des armes sauvages de toute espèce. On raconte, au sujet de cette salle, un trait qui fait honneur à la jeunesse française. Pendant un moment d'effervescence, en 1826 ou 1827, une foule de jeunes gens furent cernés dans le Jardin des Plantes et ensuite poursuivis jusques dans les bâtimens, par les gendarmes et les agens d'une police qui semblait alors exciter des mouvemens coupables pour avoir occasion de les punir. Quelques élèves se réfugièrent ici et s'armèrent à la hâte de flèches caraïbes et de *zagaies* qui leur tombèrent sous la main. « Elles sont empoisonnées ! » s'écria le gardien de ces objets, qui n'avait pu les soustraire à ces nombreux arrivans. Aussitôt ceux-ci les rejètent loin d'eux, et se livrent à ceux qui les poursuivaient, aimant mieux perdre leur liberté que de donner à leurs ennemis une mort certaine.

Nous nous arrêtâmes plus long-tems à la Ménagerie, où nous admirâmes l'éléphant, le rhinocéros, la girafe, cadeau un peu coûteux du dey de Tunis, car ce bel animal exige une nourriture et des soins tout particuliers pour vivre dans nos climats si froids, en comparaison de son pays natal ; les ours, les tigres, les singes, les quadrupèdes et volatiles de toute espèce, renfermés, selon leur naturel doux ou féroce, dans des cabanes fermées de larges barreaux, ou dans de jolies enceintes de verdure, simplement treillagées, avec une étable élégante pour leur servir d'abri.

Maman commençait à être fort lasse : nous convînmes de revenir, tous ensemble, examiner le jardin, en détail, dans toutes ses parties (1), un jour qui ne serait point des-

(1) Cette partie de plaisir eut en effet lieu un des jours de la semaine suivante; je me proposais de consacrer un chapitre entier à la narration de cette intéressante promenade, mais papa m'avertit que si je destine MON OUVRAGE aux honneurs de l'impression, je dois me resserrer beaucoup, à moins de vouloir multiplier les volumes; je me vois donc forcé de me restreindre à une notice bien courte sur le Jardin des Plantes.

Nous y arrivâmes, cette fois, par une porte cochère qui ouvre sur la rue de Seine, ainsi nommée parce qu'elle débouche sur le quai. Cette rue finira, probablement, par être la limite du jardin, qui, depuis quelques années, s'est prodigieusement agrandi dans cette direction, où il semble disputer, pied à pied, le terrein aux chantiers, forcés de rétrograder devant lui, à mesure que s'étend la vallée suisse, dans laquelle sont parqués, depuis le pied de la colline du labyrinthe, jusques vers le quai, tous les animaux d'un naturel paisible.

En face de cette colline s'en élève une autre du

tiné à l'un de nos Voyages *scientifiques*; nous gagnâmes, par de belles allées, la grille cir-

même genre, mais moins haute, et couverte, comme elle, de pins et d'autres arbustes résineux. Au bas, vers le levant, on a construit, en vitrages, une serre immense, où sont réunies celles des productions des climats les plus éloignés qui ne supporteraient pas notre température. Les autres sont dispersées dans des plates-bandes, soigneusement entretenues, où chacune d'elles a son étiquette, en français et en latin.

Les deux côtés de la partie du jardin, située entre les bâtimens du Cabinet d'Histoire naturelle et la rivière, sont ornés d'allées symétriques, destinées aux promeneurs insoucians qui ne recherchent que la jouissance d'un air pur. Vers le quai, les plantations sont nouvelles; mais près du Muséum, de grands arbres forment un ombrage délicieux. Son enceinte est fermée, sur la rue de Buffon, parallèle à celle de Seine, par une grille qui se prolonge jusqu'au quai; toute cette partie forme une sorte de petit bois couvrant une jolie pelouse, sur laquelle les enfans, et même de grandes personnes, se livrent, en toute liberté, à des jeux champêtres.

Entre les deux principales allées, et dans la première moitié du jardin, voisine des bâtimens, est un grand espace, formant un carré long, enfermé de grilles, et dont l'accès n'est ouvert qu'aux étudians. Cette partie de terrain est disposée par gradins for-

culaire qui clôt le jardin du côté de la rivière et s'ouvre en face du pont d'Austerlitz.

mant des plates-bandes, où sont cultivées diverses plantes aquatiques, et se succédant ainsi jusqu'à une profondeur égale à celle du lit de la rivière; les eaux, s'y infiltrant, s'élèvent à mesure de la crue de la Seine, et forment un bassin, rarement mis à sec, sur lequel se jouent des oiseaux amphibies. Vers le haut, le paon majestueux erre dans les bosquets formés par quelques arbrisseaux.

L'autre moitié du jardin forme un parterre découvert, où croissent les plantes céréales ou potagères, indigènes ou exotiques, entourées de leurs variantes, quelquefois nombreuses. Ce parterre est divisé par carrés, consacrés chacun à un genre particulier. Les deux derniers, vers la grille circulaire, contiennent les sortes qu'emploie la pharmacie, avec cet écriteau qui les domine :

« Culture de plantes médicinales, pour les pauvres malades. »

En effet, l'emploi de ces plantes est exclusivement réservé à cette destination purement gratuite. C'est ici le cas de rendre hommage au désintéressement qui préside à l'administration d'un établissement, dans lequel l'utile l'emporte encore sur l'agréable. Tout s'y voit sans qu'il soit exigé, ni même accepté la moindre rétribution; il est expressément défendu aux concierges, employés, garçons de service, etc.,

Maintenant il s'agissait de savoir ce que nous allions faire du reste de l'aprés-midi

de recevoir des curieux aucune gratification ; en quoi la France s'honore de l'emporter encore sur les nations rivales !

Cette promenade est séparée de la vallée par un fossé large, profond, divisé en trois portions, à peu près égales, et bordé, de toutes parts, d'un parapet haut d'environ deux pieds. Deux de ces compartimens renferment chacun un ours; le troisième en a deux, qui, se promenant librement dans l'espèce de cour formée carrément par les parapets, répondent au nom de Martin, que leur donne indifféremment le public, et grimpent, par l'appât d'un petit morceau de pain, au sommet d'un gros arbre mort, que l'on a planté au centre de leur petit domaine.

Ces animaux ne sont rien moins qu'apprivoisés; on en cite plusieurs exemples déplorables. Une jeune fille, en faisant promener, le long du parapet, un enfant qu'elle avait en garde, l'y laissa tomber, et l'ours, croyant que c'était une proie qu'on lui jetait, saisit l'innocente créature et l'engloutit toute entière en moins d'un instant. La bonne voulait s'y précipiter à son tour; on l'en empêcha; éperdue, elle sortit avec impétuosité du jardin, gagna le pont d'Austerlitz, dont elle paya le passage, et, sautant pardessus la rampe qui le garnit, mit fin à ses jours et à son désespoir.

d'une journée si agréablement employée jusqu'alors. Nous vîmes passer une voiture

Une autre fois, de grand matin, un invalide, croyant voir une pièce de cinq francs dans la fosse de Martin, courut chercher, à quelques pas de là, une échelle de jardinier, et descendit pour ramasser sa prétendue trouvaille; mais l'ours, plus alerte que lui, le happa au moment où, détrompé, il remontait l'échelle; personne n'était à portée pour le secourir; il fut étouffé et en partie dévoré par le terrible animal. Pour empêcher à l'avenir de semblables malheurs, on a, depuis quelque tems, fait sceller dans les murs de forts montans en fer, qui supportent des treillages solides, et c'est au travers, ou par-dessus, selon leur taille, que les curieux, préservés désormais contre leur propre imprudence, peuvent s'amuser, sans danger, des lourdes singeries de MM. Martin et compagnie.

Nous n'avions vu qu'imparfaitement la ménagerie à notre première visite; cette fois nous pûmes considérer, tout à notre aise, les renards, les loups, les lions, la lionne, le tigre, le chacal, l'ours blanc et la hyène à l'œil féroce. Le lion a, dans sa cage, un petit chien, auquel il ne fait point de mal; comme je témoignais, à ce sujet, ma surprise, on me dit qu'un de ses prédécesseurs, ayant vu mourir le chien qu'on lui avait ainsi donné, poussa, pendant trois jours, des rugissemens effroyables, étrangla tous les

de forme assez singulière; elle était divisée, à l'extérieur, en compartimens figurant la

chiens que l'on introduisit successivement dans sa loge, et finit par mourir lui-même, de désespoir d'avoir perdu son ami. « Il ne faudrait pas, ajouta la personne qui nous racontait ce singulier trait d'affection dans une bête féroce, dépasser les limites fixées aux curieux et au-delà desquelles vous voyez se promener un surveillant, armé d'une espèce de crochet. La galerie, autrefois, formait un coude et se trouvait peut-être plus rapprochée des grilles. Un jeune homme, profitant de l'éloignement du surveillant, eut l'imprudence d'alonger une main vers les barreaux de la cage du tigre. Le monstre africain lui saisit le bras, l'attira dans sa cage, et, avant qu'on pût le délivrer de ses griffes, lui coupa le poignet d'un seul coup de dents. »

Nous revîmes ensuite, avec un intérêt plus vif, parce qu'il était exempt d'effroi, le reste de la ménagerie épars dans la portion du jardin, qui s'étend des loges occupées par les animaux féroces, jusqu'au grand amphithéâtre situé du côté de la rue de Seine. Les singes, les oiseaux de proie et autres sont logés le long de la clôture; plus loin, une sorte de basse-cour élégante, divisée par compartimens, treillagée de toutes parts en fil-de-fer et proprement sablée, renferme, par espèce séparée, depuis la poule vulgaire jusqu'au faisan doré de la Chine; le reste de la vallée

réunion de trois caisses de carrosses ordinaires. Une seule portière, toujours ou-

est partagé entre les divers animaux, quadrupèdes et volatiles, dont chaque espèce a son jardinet séparé, entouré d'un treillage en bois de châtaignier, et sa cabane, à la construction desquels a présidé la plus piquante variété. Des allées tortueuses, ombragées par les arbustes qui croissent dans l'enceinte des treillages, permettent de circuler autour d'elle et de tout voir en détail. On a construit, à l'usage des chèvres, dont il se trouve là des variations à l'infini, un étage supérieur, auquel ces animaux parviennent à l'aide d'un escalier, dont chaque degré est une bûche et la rampe un ormeau qui s'est prêté à toutes les sinuosités que le caprice de l'artiste lui a fait parcourir. Sur ces degrés la chèvre joue avec ses petits; en haut, le bouc, accroupi d'un air grave, semble tout prêt à défendre sa jeune famille. Quelquefois la rampe, le toit rustique de chaume ou de roseau qui couvre la cabane, sont broutés par la gent imprévoyante; mais les ouvriers ne manquent pas pour les rétablir.

La plus vaste, la plus solide de ces enceintes et de ces cabanes est celle où sont parqués les éléphans, la girafe et les taureaux. La clôture en est formée de poutres assujetties par de fortes barres de fer; les loges font partie d'une *maison* en pierres de taille, dans laquelle ces animaux trouvent des étables séparées. Nous revîmes les premiers avec plaisir : l'un

verte, se trouve derrière. Elle est traînée par trois chevaux. « C'est apparemment,

d'eux, se trouvant *insulté* par une dame qui s'était écriée : « la vilaine bête! est-il possible de rien voir de plus hideux? » alla gravement au bord de la mare où il s'abreuve; la dame, d'un genre très-commun, ainsi qu'on le pense bien, quoiqu'élégamment vêtue, lui dit encore : « Va! va boire un coup par là-dessus, pesant animal, » et se mit à rire à gorge déployée; mais elle ne rit pas long-tems. Le *pesant animal* revint, toujours à pas comptés, devant elle, alongea sa trompe, qui ne pouvait l'atteindre à cause de la seconde enceinte qui tient les visiteurs hors de la portée des animaux, et, sans se tromper de personnage, l'inonda d'un déluge d'eau qu'il avait pompée, tout exprès pour se venger de l'insolence de la dame. Ce calcul, dans une brute, nous surprit tous et fit naître une hilarité générale aux dépens de la ricaneuse qui, changeant de ton, apostropha vigoureusement les gardiens, les menaça, en termes grossiers, de la garde, du commissaire, et se montra enfin si ridicule, qu'elle fut obligée de se retirer au milieu des huées de tous les assistans.

Dame girafe se dandinait majestueusement dans la séparation voisine, où se trouvait avec elle un des jeunes nègres qui l'ont accompagnée dans son lointain voyage; beau brun, au teint reluisant comme la botte d'un merveilleux. Je ne parlerais pas de cet

dis-je à mon père, une diligence; si du reste elle va toujours ce train-là, elle ne

individu qui figure sur toutes les images où est représentée la girafe, si, l'ayant rencontré quelques instans après, avec son camarade, à peu près aussi basané que lui, du côté du Cabinet d'Histoire naturelle, Caroline ne se fût étourdiment écriée : « Oh! la girafe! nous allons revoir la girafe! voilà ses conducteurs. — Oui, dis-je, il ne tient qu'à nous de la revoir, mais un peu décolorée; tu dois te souvenir que, là haut, il y en a une qui n'a pas les mouvemens tout-à-fait aussi vifs que celle du Jardin. » Ma petite sœur s'imaginait, je crois, que les nègres et la girafe ne formaient qu'un tout, et ne pouvaient se montrer l'un sans l'autre. (*N. B.* A ce passage de mon récit, papa et maman se récrient sur l'inconvenance de mettre *toute l'Europe* dans la confidence d'une naïveté un peu forte de ma sœur. et en exigent la suppression; ma bonne Caroline demande qu'on le laisse subsister, « parce que, dit-elle, la critique est l'âme d'un ouvrage. » Pour moi, reconnaissant mon tort, je supplie le lecteur de sauter, à pieds joints, par-dessus les cinq ou six lignes qui précèdent, ou du moins de les regarder comme non avenues........ Ne voilà-t-il pas, maintenant, que mes trois auditeurs me rient au nez et traitent mon *Nota Benè* de naïveté, pour le moins aussi forte que celle de ma sœur. Naïveté? soit! le public en jugera).

se *diligente* guères. Tenez ! j'avais raison ; son passage s'annonce par une fanfare. —Eh

Un pont formé de troncs d'arbres assujettis avec une admirable précision, et soutenus par d'autres qui leur servent de piliers, se trouve jeté à l'endroit où le terrain forme une pente rapide et resserrée entre des rochers. Ce morceau, d'architecture rustique, complète l'ensemble de la Vallée Suisse, ainsi nommée, parce qu'en effet elle rappelle les rians paysages de l'Helvétie et les élégans châlets qui donnent à ce pays un aspect si pittoresque.

Nous avions examiné, cette fois, dans le plus grand détail, les jardins, les serres, le laboratoire de chimie, enfin tout ce qui peut exciter la curiosité dans cet établissement unique en Europe. L'appétit, provoqué par l'exercice, commençait à se faire sentir un peu vivement. Je demandai, à mon père, si nous n'allions pas revoir le : HIC POST LABOREM GRATA QUIES. Il répondit par un signe négatif, et nous fit sortir par la grille de la rue Saint-Victor. Ma sœur demanda si nous avions des secrets, pour nous les communiquer en latin ? Eh quoi ! lui dis-je, tu ne te rappelles pas l'inscription placée au-dessus de la porte du crêmier, chez lequel nous avons dîné l'autre jour ; je te l'ai pourtant expliquée mot-à-mot : *Ici, après le travail, un doux repos.* T'en souvient-il maintenant ? — Ah ! c'était à dîner que tu demandais ! L'idée n'était pas si sotte. — Non ! reprit maman, car je me sens

bien non, mon ami, me dit mon père; ce doit être cet équipage bourgeois de

besoin aussi. «Eh bien! ma chère, comme nous sommes à Paris, pour tout voir, c'est un dîner populaire que je vous destine aujourd'hui; en un mot, je vous conduis à la Guinguette. — Oh! mon ami! — Vadé l'a dit :

> *Voir Paris, sans voir la* Courtille,
> *Où le peuple joyeux fourmille*,
> *Sans visiter les* Porcherons,
> . . . .
> *C'est voir Rome sans voir le pape.*

Nous ne sommes ici ni à la Courtille, ni aux Porcherons, que, par parenthèse, depuis l'accroissement de la ville, on ne trouve plus que dans la mémoire des vieux buveurs qui les ont fréquentés dans leur jeunesse; mais il y a des guinguettes tout autour de Paris, et, quoique dans le plus commun des quartiers, nous trouverons sûrement quelque maison où la place sera tenable. Je vous mènerais bien sur le boulevard de l'Hôpital, soit à l'Arc-en-Ciel, soit au Feu éternel de la Vestale, où l'on fait encore *Nopces et Festins*; mais cela ne remplirait pas mon but. Il y a là trop de *tenue*; la joie s'y montre par trop gourmée, et je veux prendre la nature sur le fait; c'est pourquoi nous allons au village d'Austerlitz, si tu te sens, ma chère amie, la force d'arriver là. Ce ne doit pas être loin d'ici.»

nouvelle invention, dont le cocher, par la pression de son pied, met en mouvement

Maman ayant donné son consentement, nous remontâmes la rue Saint-Victor. A son extrémité, et au centre de l'embranchement de deux autres rues, s'élève une superbe fontaine ; nous la laissâmes sur notre droite, et arrivâmes par l'étroite rue du marché aux chevaux sur le boulevard. Là, papa cherchait la barrière des Deux-Moulins, à laquelle il avait souvent monté la garde, en habit bourgeois, pendant les premières années de la révolution ; elle avait été reportée plus loin, nous dit-on. Je pris pour elle un vaste bâtiment en pierres de taille et en meulières, que nous voyions à quelque distance à droite; c'était l'Abattoir Villejuif. Il ne s'agissait plus que de savoir ce que c'était qu'un *Abattoir* : j'appris qu'autrefois l'abattage des bœufs, veaux et moutons, se faisait à l'intérieur, dans la cour même des bouchers, ce qui inondait la ville de ruisseaux d'un sang qui finissait par se corrompre et répandait des miasmes impurs ; et que, pour approprier d'autant la Capitale, on avait seulement, depuis 1810, commencé à élever, auprès de certaines barrières, des constructions aérées, où les bouchers des divers arrondissemens ont été obligés d'établir leurs tueries. De la sorte, la viande n'entre plus dans Paris que morte; ce qui offre un autre avantage : celui de ne point rencontrer dans la ville des troupeaux de bœufs, qui souvent occasionnaient des mal-

un jeu de trompettes. — Avec son pied? — Vois ! il arrive devant nous. Cela même a

heurs, ou tout au moins d'inextricables embarras. C'est ainsi qu'une administration éclairée remédie successivement à des abus établis depuis des siècles. Il existe maintenant, à Paris, cinq abattoirs composés de cours, d'étables, de magasins immenses, et arrosés par des eaux abondantes, qui permettent de les tenir continuellement propres ; savoir : l'Abattoir de *Villejuif*, (nom d'un village voisin), à la barrière Mouffetard, la première au-dessus de celle où nous sommes ; celui de *Popincourt* ou de *Mesnil-Montant*, entre la barrière de ce nom et le quartier Popincourt; celui de *Montmartre*, appelé de Rochechouart, du nom de la barrière voisine; celui du *Roule*, dans la plaine de Monceaux, et celui de *Grenelle*, près de la barrière de Sèvres. On estime à 300,000 francs le produit de ces établissemens si utiles.

Les bouchers vont, deux fois la semaine, soit à Sceaux, village distant de 2 petites lieues de Paris, soit à Poissy, qui en est éloigné de 5 lieues, acheter vivans, les bestiaux qu'ils destinent à leur commerce.

Mais je m'aperçois que ces détails retardent bien notre dîner; tâchons de gagner la guinguette où il nous est promis.

Elle était loin : il fallut traverser une petite plaine, et suivre, péniblement, la grande rue de l'ancien village d'Austerlitz, devenue portion intégrante de la

donné naissance à un mauvais calembourg; on a dit que dans Paris il n'y avait pas de

ville, par le recul des murs de l'enceinte, dans laquelle on avait voulu comprendre l'Abattoir. Enfin nous passâmes la barrière et nous vîmes le nouveau village; mais quel aspect! papa lui-même, malgré son plan de dîner populaire, fit deux pas rétrogrades; figurez-vous des maisons basses, des peintures grossières, des guenilles suspendues aux fenêtres; ma sœur et maman se bouchaient le nez; je faisais contre mauvaise fortune bon cœur, parce que mon estomac parlait assez haut; quand un cocher de fiacre, sortant d'un cabaret borgne, démêla notre embarras, et s'approchant de nous : « Je vois que vous vouliez dîner *dehors*, et que tout çà vous répugne; vous avez raison, mes bourgeois; c'est pas là c'qui vous faut. On vous servirait du cheval en bœuf à la mode, et du lapin de gouttière; et ce n'est pas étonnant : il n'y a point de grande route par ici. J'n'y viens, moi, que pour le vin qui est assez drôle à 5 ou 6 sous le litre; mais, pour vous, ce n'est plus çà. Allez-vous-en aux Sablons, à Romainville, à Saint-Mandé : là vous trouverez tout ce qu'il vous faut; je vous y conduis, si vous voulez; j'ai là, tout près, ma voiture. — Oh! interrompis-je, nous avons trop faim. — Eh bien! venez-là, tenez, à la Garre, vous trouverez de bon bouillon, du poisson, des volailles, de beaux fruits, tout ce qu'il vous plaira, et du moins vous ne serez

cochers plus à plaindre que ceux-là, parce
que tout le long du jour ils avaient des

pas encanaillés, quoiqu'il s'y trouve encore de *petites gens*; mais ce sont, la plupart, des ouvriers en famille, et çà vous ira mieux que les chiffonniers du faubourg Saint-Marceau. »

Nous acceptâmes la proposition de ce brave homme; il nous conduisit, en moins d'un quart-d'heure, au bord de la Seine, dans un restaurant fort propre. Sa course lui fut grassement payée; on sent bien qu'il ne rentra pas dans Paris sans s'être fait servir *sa chopine*, qu'il but, à notre santé, dans un coin du jardin. Quant à nous, placés dans un petit pavillon voisin, on nous servit, sur une table couverte de linge bien blanc et garnie d'argenterie, un excellent potage à la julienne, quelques plats de légumes, une matelotte et des goujons frits, enfin tout un repas en maigre, tant nous redoutions, malgré la garantie de notre Phaéton numéroté, le cheval déguisé en bœuf, le veau et le mouton morts-nés, le matou en lièvre, et toutes les déceptions gastronomiques des traiteurs de barrière. Quoique dans le domaine du vin à 6 sous le litre, nous payâmes [illegible] sous la bouteille celui qui nous fut servi; mais, pendant notre dîner, nous eûmes, par-dessus le marché l'agrément, si c'en était un, d'entendre le violon [illegible], l'aigre clarinette et le tambourin retentissant marquer la mesure aux *Paul* et aux *Montessu* (danseur et danseuse célèbres de l'O-

cors-aux-pieds. — Oh papa! en voici la légende : *Entreprise générale des Omni-*

péra) de la Gare, tandis qu'une voix glapissante faisait entendre ces mots sacramentels : « la chaîne anglaise! la chaîne des dames! en avant deux! chassez croisez! la trénitz! la promenade! chassez les huit! etc., etc. » rangés sans doute dans un meilleur ordre que celui que je leur donne; car, je l'avoue, parmi beaucoup de choses que j'ignore encore, la danse tient un des premiers rangs.

Aussitôt après le dessert, nous quittâmes ces lieux *enchanteurs* pour ceux qui s'y peuvent amuser. Maman, dans un état de santé qui nous charmait, ne se sentait plus des fatigues de la matinée; elle ouvrit, elle-même, la proposition de suivre le boulevard, et de rentrer dans la ville par le marché aux chevaux, que nous avions à peine vu en passant, tant nous avions hâte de nous mettre à table; ce serait une promenade agréable et qui ne nuirait pas aux *Tablettes de Jules* Elle était, avec ces mots-là, bien sûre de me trouver de son avis; ma sœur ne demandait pas mieux que de se dégourdir un peu les jambes, et mon père, déterminé par cette unanimité de vœux, renonça à prendre, à ce moment, une voiture pour nous transporter à notre rue Saint-Hyacinthe.

Nous voilà donc sur le Boulevard! Nos parens marchent posément, l'un prêtant à l'autre l'appui de son bras; Caroline court devant comme une petite folle,

bus. C'est là ce qu'on appelle *Omnibus* ? D'où vient ce nom? L'on sait que celui de

et moi, tantôt je l'atteins en deux ou trois sauts, tantôt je m'arrête devant les enseignes bizarres des limonadiers, des restaurateurs qui, sur notre droite, se succèdent presque sans interruption.

Mais à gauche, le boulevard laisse tout-à-coup une lacune ; un portique élevé se dessine devant nous, au centre d'un immense bâtiment ; sans en regarder davantage, me voilà revenu sur mes pas, m'écriant : « papa ! papa ! un monument ! savez-vous ce que c'est ? pour le moins un palais antique ; cela paraît anciennement bâti. — Un palais? tu ne sais donc plus lire ? tu aurais vu, sur la porte, une inscription qui t'aurait évité cette méprise. »

Je retourne vers ma sœur qui, arrêtée à l'angle du boulevard, regardait, du haut d'une espèce de parapet, un ruisseau noir et infect, sortant de dessous une voûte, au-dessus de laquelle passait la chaussée du boulevard. « Viens donc, lui dis-je, » et, levant les yeux sur le fronton du bâtiment, je lis : *Hospice de la Vieillesse, Femmes*. Rabaissant ensuite mes regards, je vois, en effet, des femmes toutes âgées ou infirmes, simplement, mais proprement vêtues, entrer et sortir, à peu près comme le font les abeilles à l'orifice de leur ruche. Tandis que je considérais ce tableau animé, nos père et mère nous avaient rejoint.

« Tu vois qu'il ne faut rien juger sans examen, me

fiacre doit son origine à l'image Saint-Fiacre, qui servait d'enseigne au premier entrepre-

dit papa; ton palais est tout simplement un asile offert à l'infortune, ce qui ne le rend que plus intéressant aux yeux de l'homme sensible. Il portait originairement les noms d'*Hôpital général* ou la *Salpêtrière*, et l'habitude les lui a conservés dans le public, en dépit de l'inscription nouvelle. Il fut fondé, en 1656, par Louis XIV, sur l'emplacement d'un grand atelier où se préparait le salpêtre, matière première de la poudre à canon. Il compta, parmi ses premiers bienfaiteurs, M. de Pomponne de Bellièvre, la duchesse d'Auguillon et le célèbre cardinal Mazarin. Tu vois quelle magnificence a présidé à la structure de la façade, qui se compose de deux grands corps-de-bâtimens, avec un pavillon à chaque extrémité; l'intérieur, moins somptueux, est distribué de la manière la plus appropriée à sa destination. De vastes cours séparent les diverses constructions. L'église, fort belle, consiste en un dôme octogone de 10 toises de diamètre, percé de 8 arcades, aboutissant à quatre nefs de 12 toises de long chacune et formant une croix. Le portique se forme de quatre colonnes ioniques, surmontées d'un attique.

« C'était autrefois une maison de correction (dans toute la force du mot) pour les femmes de mauvaise vie. L'humanité seule y fait admettre aujourd'hui des femmes qui ont vieilli au service de la maison, (on

neur ; mais *Omnibus !* il n'y a pas dans le calendrier de Saint Omnibus. — Il me sem-

appelle celles-ci *les Reposantes*) ; celles que leurs infirmités ou un âge extrêmement avancé (80 ans) laissent privées de toutes ressources ; les femmes septuagénaires ou affligées de plaies incurables. Chacune de ces classes a son corps-de-logis particulier ; une quatrième division comprend les aliénées et les épileptiques ; la cinquième, entièrement isolée, est consacrée à l'infirmerie, où 400 femmes peuvent être reçues dans des lits séparés.

« Quant au misérable *ruisseau* que tu regardais tout-à-l'heure avec dédain, naguères encore il était l'un des plus utiles, peut-être, des cours-d'eau qui traversent cette partie de la France. On le dédaigne ici, parce que la multiplicité de ses services a détruit sa limpidité, l'a réduit à un simple filet d'eau se frayant à peine un passage au travers d'une vase infecte ; tel l'artisan laborieux a épuisé ses forces dans un travail journalier ; ses sueurs ont enrichi le fabricant qui se promène dans un char fastueux, tandis que lui, maintenant incapable de rendre les mêmes services que dans sa jeunesse, traîne, sur ses vieux jours, une existence à charge aux autres comme à lui-même, et vient, trop souvent, expirer *à la porte d'un Hôpital* !

« C'est donc ici tout ce qui reste de la rivière de Bièvre, qui prend son cours dans le voisinage du village de ce nom, situé à 4 lieues de Paris, (environ

ble que tu as oublié ton latin : que signifie *omnis* dans cette langue ? — Tout. — *Om-*

une lieue un quart au sud-ouest de Versailles, la dernière ville que nous avons traversée avant d'entrer dans Paris). Ce nom est aussi celui d'un amphibie, espèce de loutre qui vit dans cette rivière vers sa source, et dont la peau s'emploie en fourrures. La Bièvre arrose, en faisant divers circuits, environ huit lieues de terrain, activant sur sa route des moulins et des usines, et alimentant un nombre considérable d'ateliers de teintures, et particulièrement l'importante manufacture des Gobelins, située à quelques centaines de pas, vers l'extrémité du faubourg Saint-Marcel (ou Marceau); ce qui, dans Paris, a changé son nom en celui de *rivière des Gobelins*. Nous avons encore du jour devant nous : si ta maman n'était pas trop fatiguée, nous pourrions, avant de rentrer, voir cet établissement, si digne de l'examen des curieux.

« — Oh ! oui, allons le voir ! » m'écriai-je par un mouvement involontaire que je me reproche encore, car je suis certain qu'il détermina maman à dissimuler sa lassitude pour me procurer cette satisfaction.

Nous traversâmes donc le *Marché aux Chevaux*, qui est un lieu planté d'arbres et rafraîchi par deux fontaines. Des barrières et des poteaux y sont dressés de distance en distance, pour attacher et séparer les chevaux que l'on y amène ; un grand espace reste

nes? — Tous. — Et *omnibus?* — A tous, papa. — A la bonne heure! c'est comme

libre au milieu pour l'essai de ces animaux; ce qui, malgré toutes les précautions de l'administration, n'empêche pas encore quelques acquéreurs d'être dupes. Aussi le maquignonage (métier, ou, si l'on veut, art du maquignon ou marchand de chevaux) est-il passé en proverbe pour exprimer la fraude.

Des rues à peu près en droite ligne, et la plupart désertes, nous menèrent à la manufacture, dont, chemin faisant, papa avait la bonté de me raconter l'origine.

Elle remonte au règne de François Ier. Gilles Gobelin, natif de Reims, avait alors la réputation du plus habile teinturier en laine qui eût jamais existé. Il fit bâtir sur la rivière de Bièvre une vaste maison que le public, toujours disposé à la satyre, nomma la Folie-Gobelin. Il y jeta les premiers fondemens d'une entreprise que ses héritiers continuèrent, et qui ne cessa d'être une propriété particulière qu'en l'année 1667. Colbert, alors ministre, fut frappé de l'utilité d'un semblable établissement; il devina la gloire qui en résulterait pour la France, et l'attacha à la couronne sous le nom d'Hôtel des Gobelins, qui s'est perpétué jusqu'à nous. Son principal objet est la manufacture de tapisseries perfectionnée au point de rendre avec détail les beautés les plus particulières de la peinture, et son coloris le plus vif.

qui dirait : la voiture *à tous ;* c'est ici l'équipage de tout le monde : le pauvre comme

Le premier directeur de la fabrique devenue royale fut le célèbre Lebrun, premier peintre de Louis XIV. Rien n'est plus curieux que ce travail ; l'ouvrier l'exécute, placé derrière son canevas. Rien n'est plus beau que les ouvrages en haute et basse lisse, et les riches tentures historiques qu'il produit ; mais il faut plusieurs années pour en confectionner un. Ils ornent les maisons royales, et sont donnés en présent, comme des objets rares, aux cours étrangères. Le principal atelier, tel qu'il existe aujourd'hui, fut construit, depuis la révolution, sous le ministère de M. Chaptal. Tous les métiers furent aussi rétablis à neuf, à la même époque.

Un atelier de teinture dirigé par nos plus habiles chimistes existe dans la même enceinte. La laine manipulée avec art y reçoit toutes les teintes que le peintre sait préparer sur sa palette, et leurs nuances graduées ; car la laine, conservant mieux que toute autre matière les couleurs dont elle est empreinte, sert exclusivement à la fabrique dans cette manufacture.

Depuis peu d'années on a réuni aux Gobelins la *Manufacture royale de Tapis*, établie en 1604 sur le quai de Billy, près de la pompe à feu de Chaillot, dans une ancienne fabrique de savon dont elle avait emprunté le nom de Savonnerie. Elle avait pour objet l'imitation des tapis orientaux.

le riche y sont admis au nombre d'environ vingt personnes à la fois, moyennant cinq sous par tête, et transportés d'un point central à un autre que la voiture ne saurait dépasser; où elle doit se rendre sans se détourner de sa route. — Ainsi, papa, on peut se trouver là dedans avec un chiffonnier, un mendiant?—Oui, si le chiffonnier ou le mendiant ont mis leurs habits des dimanches; mais sous les livrées de la misère, ils n'y seraient point reçus. — Alors il me semble que le nom *d'Omnibus* n'est pas rempli, car *tous* ne dit pas seulement les gens proprement vêtus. — Ton raisonnement est juste: et tiens, il me rappelle une brochure que je

Nous visitâmes avec intérêt les divers ateliers de tapisserie et de teinture, le laboratoire chimique, les cours immenses qui les précèdent, et jusqu'aux bords de la Bièvre, dont les eaux sont considérées comme plus propres que toutes autres à la préparation des couleurs. Nous ressortîmes ensuite par la rue Mouffetard où donne la principale entrée de la manufacture, et un modeste sapin nous reconduisit à la maison, l'imagination toute pleine encore des utiles plaisirs de cette journée si bien employée.

lisais hier au salon littéraire. Dans ce badinage gracieux, le patriarche de la littérature, M. Félix Nogaret, également connu des hommes de lettres sous le nom de l'*Aristenete français*, adresse précisement aux *Omnibus* le même reproche. Cette pièce, aussi gaie que philosophique, se termine à peu près ainsi :

> **Il est un lieu d'où l'on ne revient plus ;**
> **Où vont petits et grands, ignorés ou célèbres,**
> , ...
> **Pêle-mêle entassés, égaux dans les ténèbres :**
> **Messieurs, ce sont les chars funèbres**
> **Qu'il faut nommer des *Omnibus*. »**

« — Ah! papa, si nous finissions en *Omnibus* notre voyage d'aujourd'hui ; c'est que je suis bien las ! — Dis plus franchement : « c'est que j'ai bien envie d'aller en Omnibus! » Je ne demande pas mieux : il faut cependant savoir où ils nous conduiront. »

Le *quartier général* était à deux pas, de l'autre côté du boulevard ; j'y courus : la voiture suivait les quais, jusqu'à la Monnaie (entre le Pont-Neuf et celui des Arts), et de la Monnaie au gros Caillou, moyennant double course, c'est-à-dire dix sous pour chacun de nous.

Je revins trouver mon père, qui trouva cette route propice à nos projets de découvertes. Je voulais l'entraîner au quartier général; mais déjà une des voitures se dirigeait vers son but : quand elle arriva devant la grille du jardin, elle s'arrêta pour nous recevoir. Nous y montâmes ; et fouette cocher ! nous allons continuer nos explorations en Omnibus !

Nous voilà donc lancés, à un très-médiocre trot, sur le pavé des quais de la Seine exposés au midi (1) : à genoux, sur la ban-

(1) Le premier de ces quais commence à la barrière de la Garre et finit au pont d'Austerlitz. Il porte le nom de quai, ou plutôt *Port de l'Hôpital*, qu'il doit à l'hospice voisin. Je dis *port*, attendu qu'il n'est pas bordé de parapets comme ceux du centre de la ville, et qu'il sert à l'arrivage de diverses sortes de marchandises, entre autres les bois flottés et de charpente.

Celui où nous recommencions notre voyage s'ap-

quette, je regardais les maisons qui semblaient défiler en revue devant moi ; papa, quoique assis, tournait la tête de manière à les suivre des yeux, au risque de gagner un torticolis. « Voilà ! dit un de nos voisins, le célèbre hôtel Bazancourt (voir la note sur les prisons de Paris, page 130) ! Il n'a pas l'air d'être mieux fermé que lorsqu'il était le *violon* de notre ci-devant garde nationale. J'étais, je dois l'avouer à

pelle quai ou *Port Saint-Bernard*, et se prolonge du pont d'Austerlitz à celui de la Tournelle. Il paraît avoir emprunté ce nom d'un ancien couvent de Bernardins, situé à peu de distance de ce dernier aboutissant. Comme le quai de l'Hôpital, il descend par une pente douce jusqu'à la rivière, et son usage est à peu près le même ; seulement, au tiers environ de sa longueur, le quai proprement dit et le port, qui prend alors le nom de *Port au Vin*, sont séparés par une file de bornes en pierre de taille supportant d'énormes barres de fer, qui, sauf quelques ouvertures ménagées pour les besoins du service, interdisent aux voitures l'approche du rivage, presque toujours couvert de pièces de vin destinées à l'entrepôt voisin. Cette division règne jusqu'au pont, et recommence de l'autre côté, sur le quai de la Tournelle.

ma honte, le soldat le plus indiscipliné de ma compagnie. Dans les premiers temps, effrayé de l'idée d'aller en prison, je rachetais ma peine par une amende de 5 à 15 fr. selon la gravité de la condamnation; mais quand je connus mieux le régime de la maison d'arrêt qui me faisait tant de peur, j'y vins chaque fois faire mon temps avec de joyeux camarades que notre bénévole geolier me permettait de régaler de la pièce nouvelle, sous parole d'honneur de rentrer tous fidèlement après le spectacle. Il m'en coûtait quelque chose de plus; mais comme nous nous amusions pour notre argent ! »

Toute la carossée rit de cette saillie, que seul peut-être je pris au sérieux; mais un autre objet attira bientôt mon attention : « Oh ! que de grilles, m'écriai-je tout-à-coup; que de piliers pour les soutenir ! que de maisonnettes ! que de jardinets ! le haricot, le gobea, la capucine et jusqu'à la vigne, leur prêtent un ombrage insuffisant contre l'ardeur du soleil, qui, dans les beaux jours, doit les brûler du matin au soir ; la promenade n'y saurait être agréable.

« — Elle est cependant fort intéressante, reprit notre voisin ; car ce que vous paraissez prendre pour une sorte de jardin public, est un des marchés les plus utiles à l'approvisionnement de Paris. C'est ce que l'on appelle la Halle, ou plus exactement *l'Entrepôt-Général des Vins*, établi sur l'emplacement, fort agrandi, de l'ancienne Halle aux vins, qui datait de 1662 et tombait en ruines. La premiere pierre de l'Entrepôt fut posée le 15 août 1811 ; cet immense magasin est destiné à recevoir tous les vins, vinaigres, eaux-de-vie et huiles qui servent à la consommation de Paris. Au nord, ainsi que vous le voyez, le quai lui sert de limites ; au midi, c'est la rue St.-Victor ; à l'est, à une très-faible exception près, la rue de Seine; et à l'ouest, celle des Fossés St.-Bernard. Il se compose de 14 grandes halles et celliers subdivisés à l'infini. Chaque marchand en gros, indépendamment de sa portion de resserre pour ses marchandises, y tient pour les affaires de son commerce un bureau, établi dans l'une des baraques que vous voyez entourées d'un jardinet. »

J'appris en outre que ce quai avait lui même subi, depuis la révolution, un changement total. Entre le pont et la partie du port où aboutit la rue des Fossés St.-Bernard, s'élevait un ancien arc de triomphe, vulgairement nommé Porte-St.-Bernard, comme l'on appelle encore Portes-St.-Martin et St.-Denis, ceux qui séparent de leurs faubourgs les rues ainsi nommées. On avait aussi démoli bien avant la porte St.-Bernard une sorte de fort nommé *la Tournelle*, qui existait là tout près, et contenait des cachots pour les criminels, et des salles où ils étaient jugés. Tout cela a disparu, et tel passant qui en foule aujourd'hui le sol, aurait peine à comprendre comment il pouvait y avoir là tant de choses dont il n'existe plus que le souvenir, à peine conservé par les noms des lieux qu'elles occupaient.

Mon père cependant se rappelle avoir plus d'une fois, dans son enfance, passé sous les voûtes de la Porte-St.-Bernard, en sortant du Collége du *Cardinal Lemoine*, dont la longue avenue, formée entre des chantiers, aboutissait un peu au-dessous de cette *Porte*. Le collége fut détruit pendant la révolution ; mais son nom est resté à l'un des chantiers.

Notre char à destination fixe devait sur toute sa route cotoyer la rivière, et nous fournir par conséquent l'aspect suivi de tous les quais qu'il avait à parcourir. Celui de la Tournelle commence au pont de ce nom, et se prolonge jusqu'à la rue dite aussi de la Tournelle, où il se perdait jadis ; mais nous avons changé tout cela, comme dit Sganarelle *médecin malgré lui* : les terrains et les vieilles constructions qui, de cette rue et des deux suivantes, dites des *Grands-Degrés* et de la Bûcherie, s'étendaient jusqu'à la rivière, ont été achetés par la ville de Paris, et métamorphosés en un commencement de quai, avec beaux trottoir et parapet, partant, à son point occidental, du *Pont au Double*, passant devant le nouveau pont de l'Archevêché, achevé depuis que nous sommes à Paris, et venant rejoindre le port aux tuiles, que masquaient autrefois les premières maisons de la rue de la Tournelle.

Ce quai n'est pas encore livré à la circulation des voitures ; de sorte que notre équipage suivit, entre deux rangées resserrées de maisons, ce qui reste de la rue de la Tournelle, et les deux autres que nous venons de nommer. La dernière, (celle de la Bûcherie), est formée à droite, (dans le sens où marchait *l'Omnibus*), par les bâtimens de l'Hôtel-Dieu, dont le pied est de l'autre côté baigné par la rivière; cette remarque suffit pour juger ce qui reste à faire encore pour que les quais bordent enfin la Seine sans interruption. Cette opération, si importante à l'assainissement de la Capitale, ne pourra avoir lieu que lorsque l'hospice dont il s'agit sera, selon des projets présentés depuis bien long-tems à l'administration, rejeté au-dessous de Paris. En attendant cette amélioration, donnons un coup d'œil rapide à cet établissement, tel qu'il existe aujourd'hui :

L'Hôtel-Dieu, cet asile secourable des infirmités humaines, que la charité chrétienne s'efforce d'adoucir, fut fondé vers le milieu du 7.me siècle par St.-Landry; St.-Louis et Henri IV en furent successivement les bienfaiteurs. Louis XVI avait fait porter à 2400 le nombre des lits; mais souvent l'extrême misère et les maladies, qui en sont la suite, augmentaient le nombre de ceux qui s'y présentaient, au point de forcer à en entasser jusqu'à trois dans un même lit, où il n'était pas sans exemple qu'un mort se trouvât entre un moribond et un convalescent. Depuis la révolution, le régime de la maison a bien changé. L'administration en est dans les mains d'hommes instruits et probes; les malades couchent seuls; ils sont traités par les médecins et les chirurgiens les plus habiles de la Capitale, ou sous leurs yeux, par leurs élèves, en qui se trouvent réunis le talent et l'humanité. Des religieuses, dont toute la vie est un modèle de dévouement et de vertu, remplissent auprès d'eux le rôle de garde-malades, celui de consolatrices; elles supportent sans se plaindre, je dirais presque avec une sorte de satisfaction intérieure, les dégoûts, les reproches si mal fondés, et quelquefois les injures que le manque d'éducation et la souffrance arrachent à une classe grossière, toujours irritable, et trop souvent injuste quand elle éprouve quelque contradiction.

Celui de nos compagnons de voyage qui faisait assez volontiers les frais de la conversation, nous raconta une anecdote dont il prétendait être l'un des acteurs.

Un jour qu'il visitait l'Hôtel-Dieu, il s'arrêta devant un lit où gisait un homme d'une physionomie si remarquable, qu'il resta quelques momens à la contempler: « Passez votre chemin, ou payez, s'écria le malade d'un ton brusque. — Payer, mon ami ! reprit le visiteur, je le veux bien ; mais à quel titre ? — A titre de ce qu'on ne me voit pas *gratis* : je suis *modèle*, pour que vous le sachiez, recherché par tous les peintres, à cause de ma figure à la grecque, de ma barbe, de mes formes bien proportionnées. Ces Messieurs me paient largement pour me copier ; si ma vue vous plaît tant, vous pouvez bien aussi payer pour vous satisfaire. Ah! si je n'étais retenu par cette diable de maladie, je gagnerais en ce moment plus d'argent que je ne suis gros ! »

Le curieux s'éloignait après avoir jeté sur le lit une pièce de cinq francs. « Eh bien ! où allez-vous, reprit le modèle? attendez donc ; vous n'en avez pas pour votre argent. Me voici : je me lève ; je vais consommer une partie de la pièce à votre santé..... » Mais retombant presque aussitôt sur son oreiller : « Chienne de tisane, reprit-il ! tous mes nerfs en sont distendus ;

elle m'a cassé bras et jambes. Ah! si je pouvais passer seulement deux heures au cabaret, je ne resterais pas étendu là comme une poule mouillée, tel que je suis devenu, grâces à ces maudits docteurs! »

L'entrée de cet utile établissement est de l'autre côté des bâtimens devant lesquels nous passions; elle a été reconstruite depuis quelques années. On y pénètre par un beau perron, au haut duquel se trouve un vestibule où aboutissent les diverses salles. Là se trouve un monument à la mémoire de Xavier Bichat et de Dussault, célèbres chirurgiens en chef de cet hospice. Sur le fronton extérieur, on lit en lettres d'or : HÔTEL-DIEU. On y reçoit indistinctement les malades de tout sexe, de tout âge, de toute religion; sauf des cas particuliers pour lesquels il existe des maisons spéciales (1).

(1) Les autres hospices de la capitale sont :

La Salpêtrière, dont nous avons parlé page 229.

La Charité, rue des SS. Pères, faubourg Saint-

Autrefois, à la suite de l'étroite rue de la Bûcherie, bien élargie cependant depuis

Germain. On y traite, dans des lits fondés par les médecins et les chirurgiens eux-mêmes, des maladies difficiles à guérir et dignes de toute l'attention des gens de l'art. A cet effet, il y a été établi, dans l'ancienne église, une école de médecine clinique, dont les élèves, guidés par leurs maîtres, opèrent des cures tout en suivant leurs cours.

Les Incurables, rue de Sèvres, même faubourg, hospice institué par le cardinal de Larochefoucault, dans un ancien couvent de Récollets, en 1637. Il était destiné d'abord aux deux sexes, maintenant on n'y reçoit plus que des femmes âgées ou infirmes. Il existe pour les hommes un hospice du même titre, rue du Faubourg-Saint-Martin; les vieillards indigens ou perclus y sont logés, entretenus et nourris.

Les Petites-Maisons ou *Hospice des Ménages*, au coin des rues de Sèvres et de la Chaise. En 1497, on fonda, sur cet emplacement, un hôpital dit *la Maladrerie de Saint-Germain*. Il devint, au bout de plus d'un siècle, un hôpital de fous, sous le nom de *Petites-Maisons*, que lui valut bientôt le peu d'élévation des bâtimens dont les cours sont entourées. Ces maisonnettes sont occupées aujourd'hui par des *ménages* de gens pauvres et âgés. Les infirmes des deux sexes y sont également admis moyennant une somme une fois payée.

quelques années, il n'existait pas d'autre débouché direct que l'étroite rue de la Hu-

L'*Hôpital Saint-Louis*, rue Carême-Prenant, faubourg du Temple. Henri IV le fonda en 1607, et il fut achevé en trois années. On y traite les maladies scrophuleuses, le scorbut et autres dont on redoute la contagion. Il se compose de huit cents lits.

La Maternité, rue de la Bourbe, entre le faubourg Saint-Jacques et la rue d'Enfer. Le local de l'ancienne et célèbre maison de Port-Royal en fait partie. Il s'y trouve trois cent cinquante lits qui reçoivent tous les ans près de trois mille femmes pauvres pour y faire leurs couches. Deux établissemens importans y sont annexés. Le premier est l'école des élèves sages-femmes, qui pratiquent leur art sous les yeux des maîtres en même temps qu'elles étudient; l'autre est destiné à recevoir les enfans qu'abandonnent des mères barbares ou infortunées. Ces pauvres petites créatures y trouvent des nourrices toutes prêtes, et sont envoyées avec elles dans quelque département, souvent éloigné, jusqu'au moment où, de retour, ces enfans seront distribués dans les hospices consacrés aux orphelins.

Nous avons parlé de *la Pitié* (page 199), et même de sa succursale du faubourg Saint-Antoine, sous le titre d'*Orphelins*; nous dirons seulement de ce dernier hospice qu'il est divisé en deux quartiers pour les deux sexes. Les garçons, élevés dans celui de droi-

chette; depuis quelques années, d'importantes démolitions ont eu lieu derrière celle-

te, apprennent à lire et écrire, et sont, à 12 ans, confiés pour leur apprentissage à des fabricans. Les filles, dans le quartier à gauche, reçoivent en outre des leçons de couture et de broderie, qui facilitent leur entrée dans les magasins de lingerie et autres états d'aiguille.

L'Hôpital des Enfans malades est situé rue de Sèvres, faubourg Saint-Germain, au-delà du boulevard Neuf. Il fut fondé par un curé de Saint-Sulpice, en 1735, et destiné originairement à recevoir les femmes indigentes de sa paroisse. Ses quatre cents lits sont occupés maintenant par des enfans au-dessous de 16 ans.

L'*Hospice Necker*, même rue, n° 3, était anciennement un couvent de bénédictins. En 1778, madame Necker, épouse d'un ministre du roi Louis XVI, en fit comme une succursale de l'Hôtel-Dieu.

L'*Hospice Cochin*, rue du faubourg Saint-Jacques, reçoit de même les malades et les blessés. Il doit son nom à un curé de Saint-Jacques-du-Haut-Pas, qui l'établit en 1782, un an avant sa mort. Il n'est que de cent trente lits.

On en compte cent vingt à l'hospice Beaujon, situé dans le faubourg du Roule, un peu au-dessus de l'église de Saint-Philippe. Il a la même destination que les deux précédens, et fut fondé en 1784 par le

ci. Il s'est formé, à la descente du pont de l'Hôtel-Dieu, sur l'emplacement de l'an-

riche financier Beaujon, qui le dota de 20,000 francs de rentes sur l'état.

L'hospice Saint-Antoine, dans le faubourg de ce nom, est de deux cents lits, avec même destination que les précédens.

L'hospice des aveugles, Quinze-Vingts, mérite une mention particulière ; nous y reviendrons.

On compte encore plusieurs hospices et hôpitaux tant civils que militaires, où les plus prompts secours sont donnés aux blessés et aux malades. Nous parlerons de celui du *Val-de-Grâce* dans notre futur voyage au faubourg Saint-Jacques.

Dans la plupart de ces établissemens on est reçu sans frais. On appelle hôpitaux ceux qui sont plus particulièrement destinés au traitement des maladies, et hospices ceux où l'on reçoit l'enfance, la vieillesse et généralement les personnes infirmes.

Il existe aussi des *Maisons de Santé* où l'on est admis moyennant une somme convenue pour la quinzaine ou le mois. On est assez bien traité dans quelques-unes ; une maison de retraite, spécialement destinée aux vieillards des deux sexes qui y paient pension, a été établie depuis quelques années à Chaillot, devenu faubourg de Paris, dans l'ancien couvent de Sainte-Périne.

cien petit Châtelet, une place vaste et bien aérée, et à la suite un quai que l'on nomme indifféremment *Bignon*, ou *Saint-Michel*. Ce sera l'un des plus beaux de Paris, si les maisons qui restent à bâtir sont exécutées avec autant de goût que celles qui en garnissent déjà une partie. Nous le suivîmes, ainsi que celui des Augustins, dégagé aussi depuis quelques années seulement de l'aile de bâtimens qui y formait, vers le pont Saint-Michel, la hideuse petite rue du *Hurepoix*. Ce quai n'a de remarquable que le marché à la volaille, construction élevée en pierre de taille, sur l'emplacement de l'ancien monastère des Grands-Augustins, dont le quai a retenu le nom. C'est sous ce majestueux abri que se tient tous les jours, pour le détail, et les mercredi et samedi pour la vente en gros, un bazar gastronomique, où les gourmets viennent s'approvisionner de gibier et de volaille.

Au-delà du Pont-Neuf, nous admirâmes sur le quai Conti, qui s'étend de ce pont à celui des Arts, un superbe monument, orné de colonnes et surmonté de statues. « Oh ! quel dommage, m'écriai-je, de passer si vite devant un pareil édifice ! — Consolez-vous, me dit notre obligeant voisin, vous le verrez tout à votre aise. » A ces mots il fit un signe au conducteur (1). Celui-ci tira un cordon qui répondait au bras du cocher ; la voiture s'arrêta, et nous descendîmes. « Il va donc, repris-je, attendre pour continuer sa route que nous ayons vu tout le bâtiment ? — Non, sans doute. — Nous devions cependant nous faire transporter tout le long de ces quais, jusques... je ne sais où ? — Mais, à la moitié du trajet, il y a une station où l'on change de voiture ; or, cette station est à deux pas d'ici, derrière ce bel hôtel qui est celui des Mon-

(1) Par un abus de mots, on appelle conducteur dans l'entreprise des *omnibus*, un homme qui reste continuellement à la portière, placée à l'extrémité de la voiture, pour y introduire les voyageurs, les placer et recevoir leur argent : c'est plutôt une sorte de *directeur*.

naies ; fussiez-vous deux heures à le parcourir, vous retrouveriez en le quittant un Omnibus tout prêt à vous conduire, pour vos cinq sous, soit au Gros-Caillou, soit au Jardin des Plantes, d'où celui-ci vient de vous amener. — En ce cas, voyons l'*Hôtel des Monnaies.* »

La première pierre en fut posée en 1771, sur l'emplacement d'un ancien hôtel acheté à cet effet du prince Conti, par l'abbé Terrai, ministre des finances, qui, dans son siècle, jouit d'une célébrité à peu prés semblable à celle de M. de Villèle dans le nôtre. La façade a soixante toises de largeur, sur treize de hauteur. Au-dessus de l'avant-corps, décoré de six colonnes d'ordre ionique, s'élève un attique, qui, au niveau des fenêtres, offre des tables renfoncées, ornées de festons. La *Paix*, le *Commerce*, la *Loi*, la *Prudence*, l'*Abondance* et la *Force*, sculptées en pied, de grandeur plus que naturelle, sont à l'aplomb des colonnes. Trois arcades supportent cet avant-corps ; celle du milieu est la principale entrée de l'édifice. Vingt-quatre colonnes d'ordre dorique, cannelées, forment ensuite un vestibule qui se divise en trois galeries. L'escalier que l'on découvre à droite conduit aux salles destinées au service et aux assemblées des administrateurs. La cour principale a cent dix pieds de long, sur quatre-vingt-dix de large ; elle est entourée d'une galerie et terminée par une pièce circulaire, alternativement percée d'arcades et de portes carrées. L'entrée de la *salle des Balanciers* se forme de quatre colonnes doriques. Des colonnes d'ordre toscan soutiennent la voûte surbaissée de la salle, que garnissent neuf balanciers, et dans le fond de laquelle s'élève une statue de la Fortune. L'hôtel renferme six autres cours nécessaires au service de la fabrication. Il s'étend d'un côté sur plus de la moitié de la rue Guénégaud qui le borde à l'orient, et forme à l'occident, vers la place Conti, un impasse assez profond, où se rangent les Omnibus qui desservent les quais.

L'entrée des différens ateliers de la Monnaie se trouve sur la rue Guénégaud. Le milieu de cette partie des bâtimens est orné de quatre statues représentant les quatre élémens. Des inscriptions latines placées entre les figures indiquent l'objet et la date de ces vastes constructions.

On ne se borne pas dans cet établissement à la fabrication des monnaies ayant cours ; une partie en est spécialement affectée à l'exécution des médailles émises pour perpétuer la mémoire des événemens politiques, des faits qui peuvent intéresser la gloire nationale, le bonheur public, la famille du prince, etc. Nul artiste ne peut frapper chez lui une médaille ou jeton, de telle matière que ce soit, qu'il aurait gravés. Le coin en doit être apporté à la monnaie des médailles et reproduit par le balancier de l'administration.

Là, se trouve une riche collection de tous les carrés et poinçons des jetons et médailles frappés en France depuis le couronnement de François Ier ; des épreuves en sont déposées à la Bibliothèque du Roi.

La principale pièce de l'avant-corps sur le quai Conti est un cabinet minéralogique, contenant un ou plusieurs échantillons de tous les minéraux, découverts tant en France que dans les contrées les plus éloignées. Ce cabinet est principalement destiné à l'instruction des élèves de l'école royale des mines. Le public y est admis le dimanche.

De chaque côté de la façade de l'hôtel des Monnaies, et en retour sur l'impasse Conti, règne un trottoir de dix-huit à vingt-quatre pouces de hauteur, disposé pour servir d'encaissement à un perron de quelques marches, qui conduit à la principale entrée. A droite et à gauche sont les étalages prolongés de deux marchands d'estampes en plein air. C'est une chose remarquable à Paris, que les échopiers s'attachent aux monumens publics pour y étaler leurs marchandises, comme les araignées aux murailles pour y tendre leurs toiles.

A quelques pas de là, l'ancien *Collége Mazarin*, ou des *Quatre Nations*, semble envelopper la presque totalité du quai de ses deux grandes ailes de chauve-souris. Ce passage deviendrait en effet très-dangereux si l'on n'avait eu la précaution de pratiquer, au travers de ces ailes même, des guichets pour mettre les piétons à l'abri contre les voitures. Il fallait être ministre d'un monarque absolu, et maître absolu soi-même du monarque et du royaume, pour se permettre d'anticiper sur la voie publique, comme le fit, en 1661, le cardinal Mazarin, lorsqu'il fonda ce collége pour l'éducation de soixante jeunes gentilshommes des pays conquis par Louis XIV. L'extérieur des bâtimens n'a point changé; mais la destination et le nom n'en sont plus les mêmes. C'est aujourd'hui le *Palais des Beaux-Arts*, où l'Académie des Sciences et les différentes classes dont se compose l'*Institut de France* tiennent leurs séances. La façade de cet ancien collége forme un demi-cercle au centre duquel se projète un avant-corps qui était autrefois le portail d'une église. Il est composé de quatre colonnes et de deux pilastres d'ordre corinthien, comme les ornemens de ses deux ailes, dont les entablemens supportent de riches vases. Un dôme décoré de pilastres accouplés, d'ordre composite, s'élève derrière le portail; il est regardé comme un chef-d'œuvre de l'art. Sa forme extérieure est sphérique, et celle de l'intérieur est ellyptique, ce qui témoigne admirablement en faveur du talent des architectes Lambert et d'Orbay qui ont exécuté ce monument sur les dessins de Leveau.

On voyait autrefois dans la chapelle le mausolée du Cardinal; il a été transporté au Musée des Monumens français, quand elle a été disposée pour la tenue des séances publiques de l'Académie Française, qui, elle-même, a subi d'étranges révolutions :

supprimée, en 1793, par la Convention Nationale, elle fut rétablie, en 1795, par décret de cette même assemblée, sous le titre d'*Institut national de France*, et composée de différentes classes, que Bonaparte, devenu consul, modifia à son tour. Il y eut alors une classe des sciences physiques et mathématiques composée de soixante membres; une autre de littérature et de langue française; une troisième, dite d'histoire et de littérature ancienne; et enfin une classe des beaux-arts, de quarante membres chaque. A la restauration, en 1814, ces quatre classes reprirent leur ancien titre d'Académies *des Sciences, Française, des Inscriptions, et de Peinture, Sculpture et Architecture*; celle-ci réduite à trente membres.

La tribune du président est garnie de draperies de velours vert, brodées de lys d'argent. Au centre, disposé en demi-cercle, siégent dans des fauteuils les membres de l'Académie; le public est admis dans diverses tribunes autour de la salle. Les séances particulières des différentes classes ont lieu au premier à gauche, dans une autre salle qui sépare les bibliothèques Mazarine et de l'Institut, dont nous avons parlé pages 191 et 192.

Les divers bâtimens du Palais des Arts sont divisés par trois cours : dans la première se trouvent à droite l'entrée de la bibliothèque Mazarine, à gauche celle de la salle des séances publiques ; c'est par la seconde qu'on arrive à celle des séances particulières et à la bibliothèque de l'Institut. Un musée d'architecture existe dans les bâtimens à droite ; ceux qui donnent sur la troisième cour sont habités par des employés et des artistes.

La seule innovation extérieure apportée à la façade de l'ancien collége Mazarin, a été l'addition, de chaque côté du perron qui conduit à l'ancienne chapelle, d'un bassin dans lequel deux lions de fer bronzé déversent par leur gueule une double fontaine. « Cette construction, me dit mon père, fit dans son temps dire aux mauvais plaisans que ce serait l'*abreuvoir* de l'Institut ; pâle imitation de cette épigramme composée lorsque, l'Académie tenant ses séances au Louvre, le gouverneur de ce palais fit semer du gazon dans la cour :

« Des favoris de la Muse française,
» D'Angivilliers rend le sort assuré ;
» Droit à leur porte, il vient de mettre un pré,
» Où, désormais, ils pourront paître à l'aise. »

» Mais, ajouta papa, tous les traits lancés avant et depuis Piron,

qui ne fut rien,
Pas même académicien,

n'ont jamais empêché que les fauteuils vacans fussent recherchés, avec empressement, par ceux même qui s'étaient permis les plus vives attaques contre ce corps illustre ; ces sarcasmes multipliés rappellent les raisins *trop verts* du renard de la fable.

» Hâtons-nous maintenant, continua-t-il, de repasser le guichet de l'aile droite ; nous allons trouver, dans l'impasse Conti, l'*Omnibus* à l'aide duquel nous achèverons notre voyage. » Il y en avait effectivement un tout prêt ; nous y prîmes place et nous partîmes.

Le quai Malaquais commence à la rue de Seine, derrière l'aile gauche du palais des Beaux-Arts ; ce n'est, à proprement parler, qu'un seul quai jusqu'au pont Royal, puisqu'il n'y a point sur la rivière de communication de l'un à l'autre bord, entre ce pont et celui des Arts ; cependant il change de nom à la rue des SS.-Pères, où il prenait autrefois celui de *quai des Théatins*, d'un ordre religieux qui y possédait un somptueux couvent. Voltaire étant mort, en 1778, quelques pas plus loin, dans l'hôtel du marquis de Villette (portant aujourd'hui le numéro 21), son nom fut donné au quai, dès les premières années de la révolution. L'église des Théatins fut convertie, au commencement du XIXe siècle, en une salle de spectacle; mais l'ouverture n'en eut point lieu : on en a fait depuis un hôtel qui ne le cède en rien à ceux dont sont ornés les quais Voltaire et Malaquais. Le ministère de la police a long-temps tenu ses bureaux sur ce dernier quai.

Le suivant est le *quai d'Orsay*, autrefois dit de la Grenouillère, nom qui indique assez quels immenses travaux il a fallu entreprendre pour le rendre tel qu'il est aujourd'hui. Il a, comme ceux qui précèdent le pont au Double, l'avantage de servir en même temps de port pour les arrivages de marchandises; mais il l'emporte sur eux, en ce qu'il est bordé, du pont Royal à celui de Louis XVI, où il se termine, par un beau parapet, garni de son trottoir. Vers les deux extrémités, on a ménagé de larges chemins en pente douce, pour rendre l'abord facile aux voitures qui vont charger sur le port. Les pierres de taille sont la principale des marchandises que l'on y débarque : on y prend aussi le bateau à vapeur pour Saint-Cloud.

Le premier bâtiment remarquable de ce quai, en arrivant du pont Royal, est l'*Hôtel des Gardes-du-Corps du Roi* à cheval, faisant retour sur la rue de Poitiers. Cet hôtel est une des casernes de Paris les mieux distribuées (1); Napoléon l'avait fait construire

(1) Voici la liste de ces casernes :

1.° Une succursale de celle dont nous venons de parler, rue de Grenelle-Saint-Germain, dans les bâtimens de l'ancien couvent de *Pantemont*, dont l'église a été convertie en un magasin d'effets militaires;

2.° L'*Hôtel des Gardes du Corps du Roi à pied*, construit rue du Monthabor, près des Tuileries, sur le jardin des religieuses de l'Assomption ;

3.° La caserne de l'École Militaire ; (nous allons visiter cet édifice, et nous en donnerons une brève description);

4.° La *Caserne des Suisses*, rue de Babylone, près le boulevard des Invalides;

5.° Celle des Cuirassiers, quai des Célestins, dans les bâtimens dépendans de l'ancien couvent de ce nom, situé près de l'arsenal ;

6.° La caserne des Gendarmes des chasses, rue de Vaugirard, aux ci-devant Bénédictines du Calvaire ;

7.° Celle de la Pépinière, rue de ce nom, entre la Chaussée-d'Antin et le faubourg du Roule; vaste et bien distribuée, elle est occupée par la garde royale.

pour le premier régiment de grenadiers à pied de la vieille-garde. C'est le statuaire Taunay qui a sculpté les deux figures qui supportent les armes de France.

Entre les rues de Poitiers et de Belle-Chasse, s'élève un peu plus qu'à la hauteur d'un premier étage le vaste mur d'enceinte d'un bâtiment composé d'arcades et de fûts de colonnes superposées. Je demandai naïvement si ces *ruines* qui me semblaient en-

Enfin les casernes des rues Verte, de Clichy, du Foin-Saint-Jacques, de l'Oursine; celles de Popincourt, rue de ce nom, de la Nouvelle-France, faubourg Poissonnière, de la Courtille, faubourg du Temple, spécialement assignées à l'infanterie de ligne; celles des Vétérans, rue Notre-Dame-des-Victoires et rue d'Enfer; celles des Pompiers, quai des Orfèvres, rues Culture-Sainte-Catherine, du Colombier, etc., etc.

La gendarmerie de Paris, en outre, en compte au moins douze ou quinze, dont les principales sont à l'hôtel de Nivernais, rue de Tournon, au fond duquel ont été récemment élevés de vastes bâtimens avec écuries, et à l'ancien couvent des Minimes, derrière la place Royale.

core empreintes de magnificence, n'étaient pas les restes d'un palais détruit par quelque mémorable incendie? Je lus aussitôt dans les yeux de mon père que j'avais laissé échapper quelque balourdise, et je me sentis rougir jusque dans le blanc des yeux; mais une dame d'un certain âge, assise vis-à-vis de nous, vint à mon secours. « L'idée de ce jeune homme, dit-elle, n'est pas si ridicule. Nous autres Parisiens, qui avons vu poser la première pierre du *Ministère des Relations Extérieures*, projeté sous Bonaparte, et abandonner ensuite, en 1814, ces travaux si avancés; nous qui, jusque vers 1827, avons été témoins du dépérissement sur pied de deux échaufaudages en grosses charpentes successivement dressés, à grands frais, pour la bâtisse; nous qui journellement passons, sans les regarder, devant ces arcades et ces tronçons de colonnes, comment remarquerions-nous les dégradations que tout cela subit peu à peu? Au contraire, elles doivent frapper désagréablement une personne qui les aperçoit pour la première fois ; et voilà pourquoi s'est récrié notre jeune compagnon de voyage. Du reste notre indifférence à cet égard a pour nous cela d'heureux, qu'elle étend le voile de l'oubli sur une dépense en pure perte de plusieurs millions, dépense que depuis plus de quatorze ans l'on a eu tant d'occasions d'utiliser ! »

Tandis que la dame parlait, je voyais à regret fuir derrière nous une sorte de temple de forme arrondie qui s'élevait au-dessus d'une terrasse, formant le coin *est* de la rue de Bellechasse ; mais, en conscience, je ne pouvais pas interrompre mon défenseur pour demander quel était cet édifice. Papa, qui devina ma peine, aussitôt que la dame eût fini, me mit au fait.

Le temple était tout simplement le salon de l'ancien hôtel de Salm, élevé en 1786, et devenu depuis l'institution de la Légion-d'Honneur, celui de la Chancellerie de l'Ordre. L'entrée de cet hôtel est sur la rue de Bourbon ; la porte a l'aspect d'un arc de triomphe, décoré de colonnes ioniques ; un péristyle du même ordre, établi sur les côtés, conduit à deux pavillons en avant-corps sur la rue, dont l'attique est décoré de deux grands bas-reliefs. La cour très-vaste est ornée, dans son pourtour, d'un péristyle aussi ionique, interrompu par deux arcades qui en marquent le milieu. Vient ensuite un perron, puis un vestibule éclairé par le haut, dont les ornemens fort simples se bornent à quelques arabesques sculptés dans la frise. La première pièce à la suite a pour décor des caissons peints ; la seconde, douze colonnes en stuc, imitant le marbre jaune antique, et un plafond terminé en coupole. Elle tire le jour d'en haut comme la précédente et comme le vestibule. Cette pièce donne entrée à une belle salle dont le plafond est soutenu par des colonnes ioniques également en stuc, mais imitant la brèche verte (sorte de marbre). Quant au salon dont l'extérieur avait le premier attiré mes regards, il est de forme circulaire, dans un diamètre de quarante pieds, richement décoré à l'intérieur : au dehors, six statues, adossées au bâtiment, regardent la terrasse qui le termine. Autrefois, tout le reste du port était garni de terrasses semblables ou de jardins venant à la suite des hôtels, dont la façade principale était, comme celle du palais, sur la rue de Bourbon ; mais depuis la construction définitive du quai, plusieurs de ces jardins et terrasses ont fait place à des maisons bien bâties, et, selon toute apparence, tout ce qu'il en reste éprouvera successivement le même sort.

En arrivant au pont de Louis XVI, je tirai moi-même le cordon qui prescrit au cocher d'arrêter, et nous descendîmes pour voir à notre aise les statues déjà mises en place. En général on trouve ces figures d'une expression trop *fanfaronne*, et surtout d'une taille trop colossale ; ce qui a fait dire à un mauvais plaisant, que si l'une d'elles avait le malheur de tomber en avant, elle jetterait son vis-à-vis dans la Seine. Le fait est qu'au sommet d'un édifice public, ou au milieu d'une place comme celle de Louis XV, ces statues sembleraient moins disproportionnées. On ne saurait dire si leur présence retrécit le pont, ou si c'est le pont qui produit sur elles l'effet du microscope.

Les bâtimens qui se trouvent à peu près en face sont ceux du Palais-Bourbon, devenu le palais de la Chambre des Députés, moins encore par une possession de quelques années que par l'acquisition qui vient d'en être faite, des deniers de l'État. Il est vrai que cette acquisition est plutôt celle du terrain et des matériaux que du palais luimême, puisqu'elle ne semble avoir eu lieu que dans le but de reconstruire la salle à peu près de fond en comble; dans l'incertitude des changemens qu'elle va subir, nous ne nous sommes occupés que de l'extérieur, et c'est tout ce que nous en donnerons pour le moment à nos lecteurs.

Le palais fut construit, en 1722, par les ordres de Françoise de Bourbon, princesse légitimée. Il reçut de notables augmentations lorsqu'il fut ensuite acheté par le prince de Condé. La principale entrée, du côté de la rue de l'Université, forme un arc de triomphe d'ordre corinthien, accompagné de galeries et de colonnes isolées, portant voussures avec caissons entre deux pavillons. Avant la révolution, la porte était pompeusement chargée d'ornemens en bronze; l'écusson de la maison de Condé, qui la couronnait, était soutenu par des figures allégoriques dues au ciseau du célèbre Pajou. Lorsque le gouvernement vandale s'empara du palais, en vertu des lois sur l'émigration, l'administration des charrois militaires établit ses bureaux, ses ateliers, son service dans la partie des bâtimens dite les *Communs*, dans les dix cours principales, dans les écuries, disposées pour 400 chevaux. Bonaparte y établit ensuite le Corps-Législatif, dont le président occupait le bâtiment appelé le Petit-Bourbon, décoré des plus belles peintures et de tapisseries des Gobelins d'une rare exécution.

A la restauration, le dernier prince de Condé, mort depuis, rentra dans la propriété du palais, dont, moyennant un loyer considérable, il abandonna une partie à la *Chambre des Députés*, instituée au lieu et place du Corps-Législatif. C'est postérieurement au décès du prince qu'une loi en a autorisé l'acquisition au nom et pour l'usage de cette même Chambre.

Ce domaine est immense; la superficie du terrain qu'il couvre comprend environ quatorze mille huit cents toises, dont l'ancien palais n'occupe qu'une très-petite partie. Les constructions modernes ont été faites à l'imitation de celles de Rome, et ne s'élèvent pas au-dessus d'un rez-de-chaussée. Une terrasse de près de cent soixante toises règne sur le quai des Invalides (1), au bas duquel la Seine forme un canal naturel de la plus grande magnificence. La vue de cette terrasse, qui s'étend jusque vers la place des Invalides, est des plus variée;

(1) Ce quai, le dernier et le plus long de toute la ligne, prend au pont de Louis XVI, passe devant la magnifique place des Invalides, et devant le Champ-de-Mars, dont l'*École Militaire* occupe majestueusement le fond; sur ce point, il sert d'appui à l'une des extrémités du pont d'Iéna (voir page 29), et quelques pas plus loin, au pont de charpente qui conduit à l'île du pont de Grenelle (page 13). Là, formant un léger coude nécessité par le cours de la rivière, il rejoindra, quand les travaux seront achevés, la barrière de la Cunette, située tout à l'extrémité de ce que l'on appelle le Gros Caillou, quartier exclusivement occupé, vers la Seine, par des mariniers et des blanchisseuses, attirés sur ses bords par l'exercice de leur profession. Entre la place des Invalides et l'École Militaire s'élèvent rapidement des constructions très-vastes, destinées à l'exploitation d'une manufacture de tabac, dont l'établissement, dans ce quartier, date de longues années. « Le gouvernement, me dit mon père, s'est attribué le monopole de cette denrée, au grand mécontentement de l'agriculture, du commerce et de la consommation. »

elle se compose de la partie la plus pittoresque de la capitale ; de tout le cours de la Seine, à partir et bien au-delà des charmans villages qui précèdent la barrière jusqu'au dessous du Louvre ; du quartier de Chaillot qui s'élève en amphithéâtre sur l'autre rive ; de la superbe promenade des Champs-Élysées qui se déploient en face d'elle ; du pont et de la place de Louis XVI, au fond de laquelle se dessinent les bâtimens magnifiques du Garde-Meuble ; du jardin des Tuileries que termine le palais de nos rois, etc., etc.

Un très-beau et très-grand jardin complète l'ornement extérieur de ce palais qui se termine vers le pont par une façade d'une architecture un peu lourde. Construite de 1804 à 1807, lorsque le palais devint celui du Corps-Législatif, elle reçut des embellissemens analogues à sa nouvelle destination. Son péristyle est élevé de dix-huit pieds au-dessus du sol et décoré de douze colonnes d'ordre corinthien, supportant un fronton orné de bas-reliefs et des statues de Minerve et de Thémis, emblêmes de la sagesse et de la justice qui doivent présider aux délibérations des législateurs. Un escalier de vingt-neuf marches et d'une étendue de cent pieds environ conduit à ce péristyle. De chaque côté de la grille d'entrée sont assises sur des piédestaux deux statues, celles des chanceliers de l'Hopital et d'Aguesseau, et des ministres des finances Sully et Colbert, présentés comme modèles à leurs successeurs, qui les imiteront peut-être un jour.

Il était fort tard lorsque nous achevâmes de prendre tous ces renseignemens; malgré donc l'extrême désir que j'éprouvais de voir les *Invalides*, asile des guerriers mutilés au service de l'État, l'heure d'y être admis étant passée, je convins moi-même qu'il valait mieux ajourner notre visite que de nous borner à un examen superficiel d'un monument de cette importance; et, comme maman pourrait être inquiète d'une absence déjà plus prolongée que de coutume, nous montâmes dans un cabriolet de place, afin de nous retrouver plus promptement auprès d'elle.

Hélas! cette journée, commencée d'une manière si agréable, dans laquelle tant d'observations intéressantes s'étaient pressées sur notre passage, devait se terminer bien tristement pour nous. Notre cocher, que nous n'avions point pris à l'heure, et qui, par conséquent, n'avait pas intérêt à prolonger sa course, crut malheureusement devoir hâter de la voix et du geste son cheval encore vigoureux, en dépit de l'usage : nous allions comme le vent. Papa lui avait, par une sorte de pressentiment, plusieurs fois recommandé de se modérer; mais, je dois l'avouer, moi, que le fiacre du jour des *Marchés*, et même les omnibus de cet après-midi, n'avaient point habitué à une allure si vive, je faisais secrètement des signes au cocher, à la gauche duquel je me trouvais, pour l'engager à ne point ralentir sa marche. C'est donc à moi seul que je dois attribuer notre mésaventure.

Nous avions rapidement parcouru la rue de Grenelle, dont les superbes hôtels ni la fontaine (décrite page 56) n'avaient attiré mon attention, tant j'étais enchanté d'aller si vite; nous avions laissé derrière nous la grande rue Taranne, celle de Sainte-Marguerite et la prison de l'Abbaye (le conducteur avait la complaisance de nous nommer ces lieux à mesure que nous les dépassions), nous entrons rue des Boucheries; encore quelques tours de roue, et nous sommes dans les bras de maman, de ma sœur! Le conducteur d'un camion, sorte de voiture à quatre roues basses, destinée au transport des marchandises, de la fabrique au roulage ou du roulage chez le débitant, guidait devant nous, à pas lents, son cheval dont il tenait les pieds dans le ruisseau; notre cocher fait retentir le cri: *a ha heup!* bien connu des voituriers pour un avis de laisser la droite libre (1) ; le camioneur faisant la sourde oreille, se porte au contraire vers le côté réclamé ; notre cocher prend aussitôt son parti, et, sans ralentir son pas, se jette sur la gauche : c'est le moment où le charretier, soit malintentionné, soit enfin déterminé à obéir aux réglemens, pousse du même côté la tête de son cheval. Nous étions lancés ; notre roue droite, qui n'a plus assez de voie, passe sur le moyeu de celle de devant du camion, et nous voilà culbutés sur une devanture de boutique que brise la capote du cabriolet. Un triple cri s'échappe de l'intérieur du phaéton renversé : celui du cocher, qui, n'ayant fait que retomber sur nous, a le moins souffert des trois, n'exprime que la colère ; le mien l'effroi ; celui

(1) Une ordonnance de police, qui est comme l'ABC du métier, prescrit aux voituriers et cochers de tenir toujours libre la droite de celui qui vient à leur rencontre, ou que la légèreté de son équipage rend apte à les devancer.

de mon père, sur lequel nous avons pesé tous deux, peint la souffrance.

Cependant le marchand, furieux, est sorti de sa boutique, et réclame le montant du dégât. Le camionneur, épouvanté du malheur qu'il vient d'occasionner, a mis son cheval au galop, et bientôt la foule, occupée de nous seuls, l'a perdu de vue. Notre cocher, déjà sur pied, cherche en vain un passage pour courir après son homme; on me retire sain et sauf du cabriolet; mais mon pauvre père! sa figure est couverte de sang : on le relève à son tour; on lave une longue éraillure qu'un ressort en fer lui a faite au coin de l'œil; on se récrie sur sa blessure. « Celle-ci n'est rien, dit-il; c'est mon bras..... je le crois démis; j'en souffre cruellement. »

Le marchand, oubliant son vitrage pour s'occuper de ses semblables, nous fit entrer dans la boutique, où sa famille et lui nous prodiguèrent tous leurs soins, tandis que le cocher, qui avait à l'aide des passans relevé son cheval et son cabriolet, déplorait ses brancards cassés, tout en courant chercher un chirurgien. Par état, ces gens-là connaissent tout le monde : il eut bientôt trouvé dans le voisinage un docteur, et le ramena auprès de nous, dont il prit ensuite congé pour conduire, comme il le put, sa voiture chez le charron et son cheval à l'écurie, et j'eus le chagrin de l'entendre, en se retirant, dire entre ses dents : « C'est la faute du petit bonhomme qui me poussait le coude pour aller grand train ! »

Cependant on deshabillait papa. Le chirurgien jugea comme lui que la blessure du visage était peu de chose ; mais il décida que le bras était cassé et qu'un long traitement serait nécessaire. Le mercier (je ne connus son état que par la suite, comme je ne me rappelai qu'à tête reposée tous les détails que je viens de rapporter) ; le mercier, dis-je, eut la complaisance d'offrir un lit chez lui pour le blessé ; le docteur en proposait un de la Charité ; mais ayant appris que notre domicile était peu éloigné, et que mon père avait le moyen de se faire soigner chez lui, il adopta ce dernier parti. Il envoya donc chercher à l'hospice un brancard; le cher malade y fut placé avec tous les ménagemens possibles, et dirigé vers notre hôtel.

Chargé d'une bien triste commission, j'y fus député à l'avance, accompagné de la mercière, pour prémunir maman et ma sœur contre l'effroi que leur aurait causé l'aspect inattendu de ce triste cortége. Mon retour, sans mon père, avec une inconnue; les larmes, les sanglots qu'il me fut impossible de retenir, produisirent auprés d'elles un effet à peu près semblable à celui que nous voulions éviter. « Qu'est devenu Mériadec? — Mon papa est mort ! s'écrièrent-elles à la fois. —Non, ma sœur. —Rassurez-vous, Mesdames, répondîmes-nous ensemble. — Monsieur votre père n'est que blessé bien légèrement, continua la dame; on le ramène...., il revient derrière nous; il a seulement le bras.... un peu.... foulé; c'est l'affaire de quelques jours. »

Tout cela était loin de rassurer maman; elle insistait pour être conduite aux lieux où se trouvait son mari, quand le brancard arriva à la porte. Elle se précipita avec Caroline à sa rencontre. Jugez de leur désespoir à l'aspect de cette figure pâle, enveloppée de linges, de ce corps immobile sur son grabat portatif. «Papa! — Mon ami! dirent-elles tour-à-tour. — Ce n'est rien, répondit-il d'une voix faible; monsieur le docteur atteste qu'avec de la patience et du soin, il n'y a pas le moindre danger. — Dieu le veuille, reprit ma mère!! »

On monta notre pauvre blessé dans son appartement; on l'établit sur son lit de la manière que prescrivit le chirurgien, qui, en se retirant, assura que le bras était bien remis, et reprendrait son service comme s'il n'eût éprouvé aucun accident, mais après le tems nécessaire pour bien consolider le succès de l'opération. Tout annonce en effet qu'elle n'aura aucune suite fâcheuse. Je me suis à mon tour établi garde-malade : un lit dressé auprès de celui de mon père, me permet de lui donner la nuit les soins peu fatigans que peut exiger son état, qui, de jour en jour, devient moins inquiétant. Maman, pour laquelle nous craignions une rechute, et ma sœur, maintenant un peu remises de leur premier effroi, passent les journées avec nous; je les abrége autant qu'il dépend de moi, en faisant tout haut la lecture de livres instructifs et intéressans que nous fournit le cabinet littéraire dont j'ai parlé dans mon chapitre V (page 102); il ne me reste plus qu'un chagrin, celui de voir interrompus, pendant un ou deux mois, peut-être, des voyages qui pour moi joignaient tant de charmes à une utile occupation.

*

Mais je ne suis pas le seul qui souffre de cette interruption (n'allez pas croire, jeunes gens de mon âge qui parcourez ces feuilles, que j'aie la vanité de parler ici de vous) : il s'agit seulement d'un honnête commerçant avec lequel je n'ai pas eu l'occasion de faire faire connaissance à mes lecteurs, parce que n'ayant eu jusqu'ici d'autre but que celui de tracer notre itinéraire, je n'ai guère pu les entretenir de scènes intérieures. Ce personnage cependant leur paraîtra aussi important qu'à nous-mêmes, puisque c'est lui qui s'est fait notre intermédiaire.

Il ne s'agit ici, en effet, de rien moins que du *Libraire-Éditeur* de cet ouvrage. Nous étant, mon père et moi, rencontrés maintes fois au salon littéraire où nous nous étions abonnés dès notre première sortie, avec le chef de la maison qui lui fournit ses livres, ce monsieur, dont je ne veux pas dire ici tout le bien que j'en pense, parce que mes éloges pourraient sembler intéressés, et d'ailleurs blesseraient sa modestie ; ce monsieur, dis-je, ne tarda pas à savoir de quel travail je m'occupais. Bien différent de ses semblables, et voulant encourager mes jeunes efforts, il eut l'obligeance de nous proposer de se charger de la publication de nos Voyages. D'après le consentement que nous n'avions eu garde de lui refuser, il faisait revoir l'ouvrage par un de ses auteurs émérites, qui s'était engagé à n'en point altérer la couleur native, et il en livrait ainsi les chapitres à son imprimeur, à mesure qu'ils sortaient de ma plume novice.

L'accident dont mon père était la victime portait un coup terrible à l'entreprise, s'il fallait la laisser reposer jusqu'à l'entier rétablissement du blessé. Cependant mon Éditeur m'apportait, à ce moment même, les épreuves de neuf feuilles (216 pages), déjà bonnes à tirer ; avec la fin de mon neuviéme chapitre, il y avait de quoi en compléter plus de douze; ce qui formait un volume raisonnable : arriver à la conclusion sans moi, c'était pour l'auteur un cruel désappointement; on aurait sans doute fait mieux, mais ce mieux lui-même eût pu nuire au succès par la manière dont il aurait tranché avec le reste du récit. Ce fut encore cet excellent homme qui leva cette difficulté. Il résolut de clore le volume au chapitre où un fatal événement suspendait mon travail, et je pris l'engagement de lui fournir, aussitôt que le permettrait la santé de mon père, un second tome qui comprendra tout ce qu'il ne nous a pas encore été possible de voir dans Paris. Comme cela ne suffirait peut-être pas pour composer un nombre de feuilles égal à celui que nous offrons à la curiosité de la jeunesse française, nous projetons pour le compléter des excursions dans un rayon de huit à dix lieues. Nous espérons par là dédommager nos lecteurs de la petite contrariété qu'ils auront éprouvée ; et nous leur demandons à l'avance, pour nos *Voyages dans les Environs de Paris*, une indulgence égale à celle qu'ils auront bien voulu accorder à ces premiers essais.

TABLE

DES CHAPITRES

CONTENUS DANS LE VOLUME.

page.

Imprimé en France
FROC031532010720
24395FR00015B/277

9 782329 415963